ТРАНСЕРФИНГ
РЕАЛЬНОСТИ

Яблоки падают в небо

ступень V

Вадим Зеланд

Санкт-Петербург
Издательская группа
«Весь»
2011

УДК 159.9
ББК 86.30
348

АРС-ПАТЕНТ

агентство патентных поверенных

Защиту интеллектуальной собственности и прав
ИЗДАТЕЛЬСКОЙ ГРУППЫ «ВЕСЬ» осуществляет
агентство патентных поверенных «АРС-ПАТЕНТ»

Зеланд В.

348   Трансерфинг реальности. Ступень V: Яблоки падают в небо. — СПб.: ИГ «Весь», 2011. —
224 с. — (*Трансерфинг реальности*).
ISBN 978-5-9573-0649-8

Управление реальностью: неужели такое возможно?
Те, кто испробовал Трансерфинг на своем опыте, с изумлением рассказывают, как их мысли непостижимым
образом материализуются, а окружающая действительность буквально на глазах меняет свой облик. Например,
люди по непонятным причинам начинают относиться к
вам с большей симпатией. Двери, которые раньше казались безнадежно закрытыми, отворяются. При этом
вы можете наблюдать весьма любопытные явления:
изменение «оттенков декораций» и «круги на реальности», подобные кругам на воде. Слой вашего мира восстанавливает утраченную свежесть: к мороженому возвращается тот самый вкус из детства, а надежды снова
обретают восторг юности. Но главное — это характерное
ощущение внутренней свободы — привилегия жить в
соответствии со своим кредо. Как это ни странно, здесь
нет никакой мистики — все реально. Поэтому, проверяя
прочитанное на практике, держитесь крепко на земле,
чтобы не упасть в небо от удивления и восторга.

Для широкого круга читателей.

УДК 159.9
ББК 86.30

Тематика: Эзотерические учения

ISBN 978-5-9573-0649-8   © ОАО «Издательская группа „Весь"», 2005

СОДЕРЖАНИЕ

ПРЕДИСЛОВИЕ

Уважаемый Читатель!

Перед вами продолжение цикла книг о Трансерфинге — загадочном аспекте реальности, породившем столько эмоций в читательской аудитории. В предыдущей книге говорилось о том, что человек способен управлять реальностью, если ему удастся избавиться от иллюзии дуального отражения. Из этой книги вы узнаете, как это делать.

Проснувшись в своем *сновидении наяву*, вы словно вырываетесь из потока событий и оказываетесь в центре гигантского калейдоскопа, который медленно вращается вокруг, сверкая гранями реальности. Вы — часть этой реальности и в то же время существуете отдельно, независимо. Точно так же вы осознаете свою «отдельность», когда, опомнившись во сне, понимаете, что теперь сон зависит от вас, а не вы от него.

Энергия мыслей человека при определенных условиях способна материализовать тот или иной сектор пространства вариантов. В состоянии, которое в Трансерфинге именуется *единством души и разума*, рождается таинственная сила — *внешнее намерение*. Те, кто испробовал Трансерфинг на своем опыте, с изумлением рассказывают, как их мысли непостижимым образом воплощаются в действительность, а реальность буквально на глазах меняет свой облик.

Например, окружающие люди по непонятным причинам начинают относиться к вам с большей симпатией. Двери, которые раньше казались безнадежно закрытыми, отворяются. При этом вы можете наблюдать весьма любопытные явления: изменение «оттенков декораций» и «круги на реальности», подобные кругам на воде. Слой вашего мира восстанавливает утраченную свежесть: к мороженому возвращается тот самый вкус из детства, а надежды снова обретают восторг юности. Но главное — это характерное ощущение внутренней свободы — привилегия жить в соответствии со своим кредо.

Как это ни странно, здесь нет никакой мистики — все реально. Поэтому, проверяя прочитанное на практике, держитесь крепко на земле, чтобы не упасть в небо от удивления и восторга.

I.

ЗЕРКАЛЬНЫЙ МИР

Мой мир заботится обо мне.

Дуальное зеркало

Реальность проявляет себя в двух формах: физической, которую можно потрогать руками, и метафизической, лежащей за пределами восприятия. Обе формы существуют одновременно, взаимно проникая и дополняя друг друга. Дуализм выступает как неотъемлемое свойство нашего мира. Многие вещи имеют свою противоположную сторону.

Представьте себя стоящим перед зеркалом. Вы сами выступаете в качестве реально существующего физического объекта. А ваше отражение, не имея материальной субстанции, является мнимым, метафизическим, но в то же время оно так же реально, как и сам образ.

Весь мир можно представить в виде гигантского *дуального зеркала*, по одну сторону которого лежит физическая Вселенная, а по другую простирается метафизическое пространство вариантов. В отличие от ситуации с обычным зеркалом материальный мир выступает в качестве отражения, образом которого служит намерение и мысли Бога, а также всех живых существ — Его воплощений.

Пространство вариантов является своего рода матрицей, шаблоном, по которому происходит «кройка», «шитье», а также «демонстрация мод» — движение всей материи. Там хранится информация о том, что и как должно происходить в материальном мире. Число различных потенциальных возможностей бесконечно. Вариант представляет собой сектор пространства, где содержатся сценарий и декорации, то есть траектория и форма движения материи. Другими словами, сектор определяет, что в каждом отдельном случае должно происходить и как выглядеть.

Таким образом, зеркало делит мир на две половины: действительную и мнимую. Все, что обрело материальную форму, находится на реальной половине и развивается в соответствии с законами естествознания. Наука, а также обыденное мировоззрение имеют дело лишь с тем, что происходит в «действительности». Под действительностью принято понимать все, что поддается наблюдению и прямому воздействию.

Если отбросить метафизическую сторону реальности и принимать во внимание только материальный мир, тогда деятельность всех живых существ, включая человека, будет сводиться к примитивному движению в рамках внутреннего намерения. С помощью внутреннего намерения, как известно, цель достигается путем прямого воздействия на окружающий мир. Чтобы добиться чего-то, необходимо предпринять определенные шаги, потолкаться, подвигать локтями, в общем, проделать конкретную работу.

Материальная действительность реально ощутима — она мгновенно реагирует на прямое воздействие, и это создает иллюзию, что только так можно достичь каких-либо результатов. Однако в рамках материального мира круг реально достижимых целей сильно сужается. Здесь приходится рассчитывать только на то, что имеется в наличии. Все упирается в средства, которых обычно не хватает, и возможности, которые весьма ограничены.

В этом мире абсолютно все проникнуто духом соперничества. Слишком многие хотят достичь одного и того же. А в пределах внутреннего намерения этого на всех, конечно, не хватит. Да и откуда возьмутся условия и обстоятельства, необходимые для достижения цели? Вот оттуда и возьмутся — из пространства вариантов.

По ту сторону зеркала всего в избытке, причем безо всякой конкуренции. Товара в наличии нет, но вся прелесть в том, что можно выбрать любой, словно из каталога, и сделать заказ. Рано или поздно заказ будет исполнен, и платить за него не придется — нужно лишь выполнить определенные, не очень обременительные условия, вот и все. Ну, ни сказка ли?

Отнюдь. Это более чем реально. Энергия мыслей не исчезает бесследно — она способна материализовать сектор пространства вариантов, по своим параметрам соответствующий мысленному излучению. Это только кажется, будто все, что имеет место в нашем мире, является результатом взаимодействия материальных объектов. Не менее важную роль здесь играют процессы, которые происходят на тонком плане, когда виртуально существующие варианты воплощаются в действительность. Причинно-следственные связи тонких процессов далеко не всегда заметны, и тем не менее они формируют добрую половину всей реальности.

Материализация секторов пространства вариантов, как правило, совершается независимо от воли, поскольку человек не использует энергию мыслей целенаправленно, а менее развитые существа — и подавно. Как было показано в первой книге Трансерфинга, влияние мысленных образов на действительность проявляется, главным образом, в форме реализации худших ожиданий.

Человек, будучи приземленным в «реалии жизни», бредет среди пустых магазинных полок, порываясь протянуть руку к товару, на котором уже висит табличка «Продано». В наличии лишь продукция невысокого качества, но и за нее требуется заплатить приличные деньги. И вместо того чтобы просто взглянуть в каталог и сделать заказ, человек начинает беспорядочно метаться в поисках, простаивать в длинных очередях, изо всех сил стараться протиснуться через толпу, а также вступать в конфликты с продавцами и покупателями. В результате желаемое в руки так и не дается, а проблем становится все больше.

Между тем такая безрадостная реальность зарождается прежде всего в сознании человека, откуда, постепенно материализуясь, переходит в действительность. Каждое живое существо своими непосредственными действиями с одной стороны и мыслями с другой создает *слой своего мира*. Все эти слои накладываются друг на друга, и таким образом каждое существо вносит свою лепту в формирование реальности.

Слой мира характеризуется определенным набором условий и обстоятельств, из которых складывается образ жизни отдельного существа (в дальнейшем будет идти речь только о человеке). Условия существования могут быть разные: благоприятные и не очень, комфортные и жесткие, доброжелательные и агрессивные. Конечно, немаловажное значение имеет среда, в которой человек появляется на свет. Но в дальнейшем жизнь развивается по большей части в зависимости от того, как человек относится к себе и окружающей действительности. Его мироощущение во многом определяет последующие изменения в укладе жизни. В реальность воплощается тот сектор пространства вариантов, сценарий и декорации которого соответствуют направлению и характеру мыслей человека.

Таким образом, в формировании отдельного слоя принимают участие два фактора: с одной стороны зеркала — внутреннее намерение, а с другой — внешнее. Прямыми действиями человек оказывает влияние на объекты материального мира, а своими мыслями он воплощает в действительность то, чего там пока еще нет.

Если человек убежден, что в этом мире все самое лучшее уже распродано, тогда для него в самом деле остаются одни пустые полки. Если он думает, что за хорошим товаром необходимо выстоять огромную очередь и дорого заплатить, так оно и происходит. Если ожидания пессимистичны и наполнены сомнениями, они непременно оправдываются. И если человек ждет встречи с недружелюбным окружением, его предчувствия сбываются. Однако стоит человеку проникнуться невинной мыслью, что мир для него приберег все самое лучшее, как и это тоже почему-то срабатывает.

Чудак, не ведающий о том, что все дается очень непросто, однажды непостижимым образом оказывается у прилавка, к которому только что подвезли товар, как будто специально для него. И оказывается, первый покупатель все получает бесплатно. А позади уже выстраивается длинная очередь из тех, кто убежден: реалии жизни гораздо мрачней, а дуракам — им просто везет.

Жизнь — это игра, в которой мир постоянно задает своим обитателям одну и ту же загадку: «А ну, угадайте, какой я?» И каждый отвечает в соответствии со своими представлениями: «ты агрессивный» или «ты уютный». Или «ты веселый, мрачный, дружелюбный, враждебный, счастливый, злосчастный».

Но вот что интересно: в этой викторине выигрывают все! Мир соглашается и перед каждым предстает в том обличье, какое было заказано. И если удачливый чудак, когда-нибудь столкнувшись с «реалиями жизни», переменит свое отношение к миру, реальность изменится соответственно, зашвырнув «прозревшего» в самый конец очереди.

Вот так человек образом своих мыслей формирует слой своего мира. Объяснение данного процесса укладывается в несколько принципов. Сформулируем первый зеркальный принцип: *мир, как зеркало, отражает ваше отношение к нему.*

Мир буквально соглашается с тем, что вы о нем думаете. Но почему, как правило, оправдываются худшие ожидания, а надежды и мечты не сбываются? На то имеются свои причины — второй зеркальный принцип: *отражение формируется в единстве души и разума.*

Если рассудок не вступает в противоречие с велениями сердца и, наоборот, то возникает непостижимая сила — внешнее намерение, которое материализует сектор пространства вариантов, соответствующий образу мыслей. В единстве души и разума этот образ приобретает четкие контуры, а потому незамедлительно воплощается в действительность.

Однако в жизни чаще всего бывает так, что душа стремится, а разум сомневается и не пускает, или наоборот, рассудок приводит убедительные доводы, а сердце остается равнодушным.

Когда единство нарушено, образ получается размытым — он словно раздваивается: душа желает одно, а разум твердит другое. И лишь в одном они сходятся безусловно — в неприязни и опасениях.

Уж если человек ненавидит, то от всей души, а боится, так всем своим естеством. В единстве неприятия рождается четкий образ того, чего стремишься избежать. Душа и разум как два проявления реальности: материальной и метафизической, сходятся в одной точке, и мыслеформа воплощается в действительность. В результате — чего не приемлешь, то и получаешь.

Желания, в отличие от опасений, сбываются не так легко, потому что единство в этом случае достигается редко. Душа противится разуму, поскольку тот, поддавшись влиянию маятников, устремляется к чужим целям. А разум, в свою очередь, либо не осознает своих истинных желаний, либо не верит в реальность их исполнения.

Существует такое мнение, что для достижения цели необходимо четко сформулировать свой заказ, а затем отпустить эту мыслеформу в пространство и некоторое время не вспоминать, чтобы не мешать исполнению желания. Если бы все было так просто...

Такая техника работает исключительно при условии выполнения второго зеркального принципа. Однако единство души и разума может быть достигнуто лишь в редких случаях, потому что от предательских сомнений избавиться практически невозможно. Что же делать?

На то имеется третий зеркальный принцип: *дуальное зеркало реагирует с задержкой*. Если второй принцип выполнить не удается, крепость необходимо брать длительной осадой.

Представьте себе такую необычную ситуацию. Вы становитесь перед зеркалом, а там ничего не видно — пустота. И лишь спустя некоторое время начинает постепенно проявляться изображение, словно на фотографии. В определенный момент вы начинаете улыбаться, но в отражении видите все то же серьезное выражение. Вот вы подняли руки, а в зеркале все по-прежнему. Вы сразу же опустили руки, и в зеркале тоже ничего не изменилось. Для того чтобы увидеть себя с поднятыми руками, вам придется определенное время подержать их вверху.

Точно так же работает дуальное зеркало. Только время задержки там несравненно больше, а потому изменения не поддаются восприятию. Материальная реализация инертна, как смола. Тем не менее мысленный образ, или, как это называется в Трансерфинге, — *слайд* — вполне может быть материализован. И требуется для этого всего лишь одно элементарное условие: *слайд необходимо крутить в мыслях систематически, достаточно продолжительное время*.

Как видите, секрет простой, но это действительно все, что необходимо. Даже не верится, что все настолько тривиально. Заурядный, рутинный труд и никакого волшебства. Зато это действительно работает. Просто у людей, как правило, не хватает терпения. Они с воодушевлением загораются какой-нибудь идеей, но затем быстро остывают и откладывают задуманное в дальний ящик. Так вот, для материализации мыслеформы необходимо выполнить конкретную работу со слайдом. В противном случае рассчитывать на чудо не стоит.

Сколько именно времени потребуется для реализации слайда, зависит от сложности поставленной цели. До тех пор, пока разум сомневается в реальности осуществления задуманного, образ размыт. Но рано или поздно в зеркале начнет появляться хоть какое-то изображение. Вы это сами увидите, когда внешнее намерение откроет необходимые двери — возможности для достижения цели. Вот тогда разум убедится, что техника приносит плоды и цель, оказывается, реально осуществима. Постепенно душа и разум придут к единству, а мысленное излучение сфокусируется, создав четкий образ. В результате будет сформировано отражение, и случится то, что принято называть чудом: мечта, казавшаяся несбыточной, превратится в реальность.

Амальгама реальности

С помощью техники слайдов, описанной в первой книге Трансерфинга, можно формировать образ, который зеркало мира воплотит в действительность. Но, помимо конкретного образа, было бы весьма неплохо поддерживать в слое своего мира некоторый неизменный фон, создающий постоянную благоприятную атмосферу.

Возможно, вам приходилось обращать внимание на то, что в различных зеркалах ваше отражение выглядит по-разному. Лицо вроде одно и то же, но каждое зеркало выявляет отдельные нюансы. Выделяются слабые, но вполне уловимые оттенки: эмоциональная окраска, настроение и даже психологический тип. В разных зеркалах отражение бывает добрым и злым, здоровым и болезненным, привлекательным и не очень, теплым и холодным.

Казалось бы, чем может быть вызван такой разброс, ведь отражающая поверхность должна бесстрастно передавать точную копию одного и того же образа. Однако имеется ряд факторов, оказывающих ощутимое влияние на передачу изображения. Как и в фотографии, здесь многое зависит от освещения, цветового фона, а также от самого зеркала.

Еще в средние века было подмечено своеобразное обаяние венецианских зеркал. Венецианское стекло славилось во всем мире своим изумительным качеством. Но вовсе не стекло наделяло зеркала тем самым особенным свойством. Люди обращали внимание, что по какой-то непонятной причине смотреться в венецианское зеркало было намного приятней, чем в обычное. Лицо в отражении приобретало заметную привлекательность.

Оказывается, у мастеров из Венеции был свой особый секрет. В амальгаму — состав от-

ражающей поверхности — они добавляли золо-
то, за счет чего в спектре отражения начинали
преобладать теплые оттенки.

Подобным же образом можно усовершенст-
вовать кусочек дуального зеркала специально для
себя. Для того чтобы уютно обустроить слой
своего мира, необходимо сформировать свою особую амальгаму. Слой мира складывается из множества реакций — отношений человека к себе
самому, а также к тем или иным проявлениям
окружающей действительности. Из этого спект-
ра отношений необходимо выделить одну глав-
ную линию, определяющую преобладающий фон.

В качестве доминанты можно выбрать, например, вот такую формулу: *«Мой мир заботится обо мне»*. Человек охотно выражает свое
отношение в виде недовольства, когда есть для
этого повод, а все хорошее принимает чуть ли
не равнодушно, как должное. Он это делает бес-
сознательно, реагируя, подобно устрице, в силу
привычки.

Вот теперь поднимитесь на ступень выше
устрицы, проснитесь и воспользуйтесь своим
преимуществом выражать отношение осознанно. Настройте свое мироощущение целенаправленно, в соответствии с доминантой, и тогда вы
увидите, как отреагирует зеркало. Это будет ваш
первый шаг на пути управления реальностью.

Вспомните, когда-то в детстве мир действительно заботился о вас, а вы не ценили это и
принимали как должное. Взгляните в прошлое.
Может, что-то подобное было у бабушки в де-

ревне? Мысленный взор возвращается в те далекие дни, когда вы чувствовали себя комфортно и безмятежно. Фрагменты воспоминаний иногда проявляются очень ярко. Кажется, будто из кухни доносится божественный аромат — бабушка печет пирожки. А может, вы сидите на речном берегу с удочкой или катитесь с горы на санках... Как это было? Вы припомнили то характерное чувство безмятежности?

Так было потому, что мир заботился о вас и вы смутно подозревали об этом, но не придавали значения. Хотя и претензий особых тоже не предъявляли. Вам просто было хорошо, и все. Ребенок, даже когда капризничает, не вкладывает душу в свое недовольство. Он будет верещать, топать ножками, размахивать ручками, но мир заботливо и бережно несет его, ласково приговаривая: «Ну что, поросеныш, измазался, испачкался? А ну, пойдем умываться!»

И человечек растет, а мир приберегает для него все самое лучшее, и дарит все новые чудесные игрушки, и ухаживает с любовью. Мир заботится о своем питомце. Любимец и баловень мира! Счастливчик открывает для себя массу новых удовольствий, потому что все впервые и вновь, но не отдает себе отчета, что в этот момент наслаждается жизнью. Он это понимает только спустя много лет, когда вспоминает, как все было хорошо и здорово в сравнении с тем, что сейчас.

Но почему со временем все краски жизни тускнеют и легкая безмятежность сменяется тревожной озабоченностью? Оттого что с возрастом число проблем увеличивается? Нет, потому что, взрослея, человек приобретает склонность выражать негативное отношение. Недовольство — более сильное чувство, чем просто удовлетворение от уюта и спокойствия.

Не понимая, что сейчас он все-таки, несмотря ни на что, счастлив, человек требует от мира еще и еще. Запросы питомца растут, он становится все более избалованным и неблагодарным. Мир, конечно, не успевает удовлетворять быстро растущие потребности, и баловень уже начинает вовсю предъявлять претензии. Он меняет свое отношение к миру: «Ты плохой! Ты не даешь мне все, что я хочу! Ты не заботишься!» И в это негативное отношение уже вкладывается вся сила единства недовольной души и капризного разума.

Но ведь мир — это зеркало, и ему ничего не остается, как с грустью развести руками и ответить: «Как пожелаешь, голубчик. Будь по-твоему». В результате реальность, как отражение мыслей человека, меняется в худшую сторону. А коли так, поводов для недовольства прибавляется, что, в свою очередь, еще больше ухудшает отношения человека с миром. И вот прежний любимец и баловень превращается в обделенного судьбой брюзгу, который вечно жалуется, что мир ему, дескать, сильно задолжал.

Печальная картина. Человек не понимает, что сам все испортил. Видя в отражении зеркала какие-то неприятные черты, человек заостряет на них внимание и рефлекторно выражает свое негативное отношение, в результате чего все становится еще хуже прежнего. Реальность в отражении постепенно меркнет вслед за образом. Вот так слой мира отдельного человека теряет былую свежесть красок и становится все более мрачным и неуютным.

А ведь можно все вернуть обратно! И то чувство спокойной безмятежности, и вкус мороженого из детства, и ощущение новизны, и надежды на лучшее, и радости жизни. И сделать это очень просто. Настолько просто, что трудно поверить. А вы и не верьте, а попробуйте. Никому не приходит в голову, что слой мира можно обновить, если взять отношение к действительности под свой осознанный контроль. Каким вы сделаете свое мироощущение, таким предстанет и окружающий мир. Это не пустой призыв смотреть на жизнь с оптимизмом, а конкретная работа по формированию своей реальности.

С этого момента, что бы ни происходило, возьмите себе за правило держать свое отношение под контролем. Это не важно, что в данный момент вам не так хорошо, как хотелось бы. В любом случае все не так плохо и, несомненно, могло бы быть гораздо хуже. Ведь камни с неба не сыплются, земля под ногами не горит и дикие звери на каждом шагу не преследуют.

Да, мир сильно изменился с тех пор, как вы охладели к нему. Помните, как он качал вас на руках, кормил бабушкиными пирожками, рассказывал сказки? Но вы повзрослели, и между вами и миром выросла стена отчуждения. Теплая непосредственность переросла в отстраненность, доверие сменилось опаской, а дружба превратилась в трезвый расчет. И все же мир не обозлился и не бросил вас. Он просто с грустью притих и в задумчивости шагает рядом, как старый друг, которого обидели холодным приемом.

Оглянитесь вокруг. Ваш мир все еще заботится. Вот эти деревья и цветы он посадил для вас. Вот это солнце, небо, облака — вы не обращаете на них внимания, но представьте: а если бы их не было? И вечером, после трудного рабочего дня, у вас есть возможность отдохнуть и насладиться уютом и комфортом, в то время как за окном дует холодный ветер и льет дождь. Мир по-прежнему кормит вас и укладывает в кроватку. Глядя на вас, он вздыхает с тоской по тем счастливым временам. А вы равнодушно отворачиваетесь и засыпаете в твердой убежденности, что мир стал хуже и былое не вернуть.

Но мир не изменился, как не может измениться зеркало. Другим стало ваше отношение, а за ним последовала реальность как отражение ваших мыслей.

Вот теперь встрепенитесь, откройте глаза, приподнимитесь на своей кроватке и посмотрите вокруг: это он — тот прежний мир, который заботился о вас и с которым вы так хорошо когда-то проводили время. Представляете, как он обрадуется, что вы, наконец, очнулись от наваждения?

Теперь вы снова вместе, и все опять будет по-прежнему. Только больше никогда не обижайте этого старого преданного слугу своим неблагодарным отношением. А главное — не торопите. Ведь в соответствии с третьим зеркальным принципом ему потребуется время, чтобы вернуться в прежнее состояние. Поначалу вам понадобится терпение и самообладание. Вы должны понимать, что выполняете конкретную работу по формированию своей реальности.

Работа заключается в следующем. Встречаясь с любыми, даже самыми незначительными обстоятельствами, твердите себе формулу амальгамы — в любом случае, что бы ни происходило — плохое или хорошее. Если встречаетесь с удачей — не забывайте подтверждать себе, что мир действительно заботится о вас. Констатируйте это подтверждение в каждой мелочи. Когда сталкиваетесь с досадным обстоятельством — все равно твердите, что все идет как надо, по принципу координации намерения.

Как бы ни складывались обстоятельства, ваша реакция должна быть однозначной — мир в любом случае о вас заботится. Если вам повезло, обратите на это особое внимание, а если нет — соблюдайте принцип координации намерения, и вы будете всегда оставаться на успешной линии жизни. Ведь вам не дано знать, от каких неприятностей мир оберегает вас и каким образом он это делает. Доверьтесь ему.

Необходимо научиться доверять. Оказавшись в затруднительном положении, человек больше склонен рассчитывать на свои силы, нежели на благоприятное стечение обстоятельств. Взрослый ребенок упрямо твердит: «Я сам!» Тогда мир опускает его на землю и дает возможность справляться самостоятельно: «Ладно-ладно, мой хороший. Ступай своими ножками».

Растопите лед недоверия. Столкнувшись с проблемой, даже самой незначительной, скажите себе: «Я позволяю миру позаботиться обо мне». Это не означает, что нужно вообще ничего не предпринимать и сидеть сложа руки. Речь о том, чтобы приучить себя к мысли, что все должно складываться благополучно само собой, по определению. Зеркало исправно отразит ваше представление: «Так тому и быть, коли вы так считаете».

Заведите себе привычку позволять миру заботиться о вас, от мелочей до самых важных вопросов. Вот вышли вы из дома без зонтика, а там вроде дождь собирается. Не надо возвращаться. Скажите себе: «Мы с моим миром идем гулять». Скажите своему миру: «Ведь ты позаботишься, не правда ли?» И он, конечно, ответит: «Ладно-ладно, мой хороший». Можете смело на него положиться. Дождя не будет, а если и будет, мир вовремя предоставит укрытие.

Однако в случае неудачи не обижайтесь, что мир не позаботился, если у вас на этот счет имелись сомнения. Не забывайте, что стоите перед зеркалом — в нем просто в точности отражается ваше мироощущение — не больше не меньше. Не нужно сильно расстраиваться, а тем более бороться с сомнениями — это бесполезно. Оставьте место для ошибок и неудач. Главное — поддерживать основной курс.

Вообще, на мир можно во многом положиться, если вы ему позволите о вас позаботиться. Человек не способен сам разобраться со всеми проблемами. Отдайте их миру — у него неизмеримо больше возможностей, чем у вас. Например, вы не сможете с помощью своего намерения избежать всех опасностей, потому что слой вашего мира пересекается с множеством чужих слоев. Вместо того чтобы направлять намерение на свою безопасность, направьте его на формирование мира, который о вас заботится и оберегает вас. Тогда будет работать намерение вашего мира.

В зависимости от того, что вас больше всего беспокоит, вы можете выбрать себе какую-нибудь особую амальгаму. Вот, например, что-нибудь из этого. «Мой мир выбирает для меня все самое лучшее. Если я двигаюсь по течению вариантов, мир идет ко мне навстречу. Я сам, своим намерением, формирую слой своего мира. Мой мир оберегает меня. Мой мир избавляет меня от проблем. Мой мир заботится о том, чтобы мне жилось легко и комфортно. Я делаю заказ, а мой мир исполняет его. Я могу не знать, но мой мир знает, как обо мне позаботиться. Мое намерение реализуется, все идет к тому, и все идет как надо».

А можно придумать новую, свою амальгаму или даже несколько. Главное, повторяю, набраться терпения и не уставать констатировать формулу амальгамы при каждом удобном случае. Настойчивость потребуется лишь на первое время, пока это не превратится в привычку. Потом все пойдет как по маслу.

В этой простой технике заключается такая мощная сила, о которой вы и не подозреваете. *Управляя своим отношением к миру, вы управляете реальностью.* Дуальное зеркало воплотит в действительность те области пространства вариантов, где мир сам заботится о вашем благополучии. Со временем вы сформируете для себя весьма уютную реальность.

Готовьтесь, вас ждет великолепный каскад приятных событий. Говорю это без малейшей доли преувеличения. Слой вашего мира будет буквально на глазах преображаться так, что вам придется только успевать удивляться. И сейчас, вот в этот момент, вы уже понимаете, что больше никогда не будете смотреть в зеркало мира так, как прежде. Только что вы ощутили, как поднялся ветер перемен. Вы и ваш мир снова вместе. Он обо всем позаботится — знайте это.

В погоне за отражением

Человек своим мироощущением создает индивидуальный слой мира — отдельную реальность. Эта реальность в зависимости от отношения человека приобретает тот или иной оттенок. Если выражаться образно, там устанавливаются определенные «погодные условия»: утренняя свежесть в сиянии солнца или пасмурно и льет дождь, а бывает, что свирепствует ураган, либо вообще творится природная катастрофа.

В какой-то мере окружающая действительность формируется, как это принято считать, в результате непосредственных действий человека. Но мыслеформы обладают не меньшей силой, просто их работа проявляется не так явно. Во всяком случае, наибольшее число проблем возникает из-за негативного отношения. А потом всю эту заваренную метафизическим способом кашу приходится расхлебывать на физическом уровне, что только усложняет дело.

В целом картина отдельной реальности зависит от того, как человек настроен по отношению ко всему, что его окружает. Но в то же время его настрой обусловлен тем, что происходит вокруг. Получается замкнутая петля обратной связи: реальность формируется как отражение образа мыслей человека, а образ, в свою очередь, во многом определяется самим отражением.

Человек, стоя перед зеркалом, устремляет на него все свое внимание, не пытаясь взглянуть на себя изнутри. Вот и получается, что главенствующую роль в цепи обратной связи играет не образ, а отражение. Человек находится во власти зеркала, потому что, словно завороженный, смотрит на свою копию. Ему не приходит в голову, что можно изменить сам оригинал. Именно в силу этой зацикленности внимания на отражении мы получаем то, чего активно не желаем.

Обычно негативные переживания всецело владеют вниманием человека. Он озабочен тем, что его не устраивает. Думает о том, чего не хочет, и не хочет того, о чем думает. Вот такой парадокс. Но ведь зеркало не учитывает желание или нежелание человека — оно просто в точности передает *содержание* образа — не больше не меньше.

Совершенно нелепая ситуация получается. Человек вечно таскает с собой то, чего не приемлет. Не «язык мой — враг мой», а мысли — мои враги. Несмотря на весь абсурд, дело обстоит именно так.

Что происходит, когда человек что-то ненавидит? Он вкладывает в это чувство единство души и разума. Отчетливый образ, безупречно отражаясь в зеркале, заполняет собой весь слой мира. Что ненавидишь, то и получаешь в своей жизни в избытке. В результате человек еще больше раздражается, тем самым увеличивая силу своего чувства. Мысленно он отправляет всех «куда подальше»: «Да пошли вы все!..» А зеркало возвращает этот бумеранг обратно. Ты послал, и тебя послали туда же. Количество неприятностей возрастает? Еще бы! Если стоять перед зеркалом и вопить: «Чтоб ты провалился!» — какое отражение там возникнет? Как ты проваливаешься вместе со своим миром.

Подобным же образом предмет осуждения проникает в слой «обвинителя». Представьте себе такой характерный пример: сердитая пожилая особа взирает на весь мир с укоризной. Она сама — живое воплощение сурового и непогрешимого правосудия — «перед людьми и совестью права». А весь остальной мир повинен держать ответ за то, что не пришелся ей по нраву. Картина сформулирована предельно конкретно и ясно. Смотрясь в зеркало с таким гонором, она создает вокруг себя равнозначную действительность, то есть сплошную несправедливость. Ну а как еще должен реагировать мир? Ее он не осуждает, а себя не оправдывает. Мир с присущим ему свойством становится именно таким, как его представляют.

То же самое происходит в случае неприятия чего-либо. Например, если женщина резко отрицательно относится к потреблению алкоголя, она обречена сталкиваться с этим на каждом шагу. Ей постоянно будет досаждать пьянство в различных проявлениях, вплоть до того, что она выйдет замуж за алкоголика. Чем сильнее отвращение у жены, тем больше пьет муж. Время от времени он может предпринимать попытки завязать с этим делом. Но она так сильно ненавидит пьянство, что буквально смакует свою неприязнь и с остервенением твердит свое: «Да не бросишь ты пить!» И действительно, если муж не имеет твердого намерения, жена, «упертая» в своем неприятии, может внедрить свою мыслеформу в слой его мира.

Склонность к пессимистическим ожиданиям вообще со стороны выглядит малопривлекательно. Настроение типа: «А, все равно ничего не получится!» — подобно садомазохизму. Пессимист получает извращенное удовлетворение, упиваясь своей тяжкой долей: «Мир так плох, что дальше некуда. Вот и поделом ему и мне вместе с ним!» Такая патологическая привычка находить упоение в негативизме развивается вместе с предрасположенностью к обидам. «Я такой замечательный! А вы не цените! Вот он, верх несправедливости! Все, я обиделся, и не уговаривайте меня! Вот умру, тогда узнаете!» И что в итоге получается? В зеркале не просто отражается, а надежно укрепляется картина фатального неблагополучия. Обиженный сам заказывает неудачный сценарий и потом торжествует: «Ну, что я говорил?!» А зеркало лишь исполняет заказ: «Как изволите!»

С такой же фатальной обреченностью неудачник констатирует свое незавидное положение: «Вся жизнь — сплошной мрак, и впереди никакого просвета не видно». Он изо всех сил не желает такой судьбы и потому всю мысленную энергию пускает на жалобы и стенания. Но что может отразить зеркало, если в образе — сплошное недовольство? Каков образ: «Я недоволен! Я не хочу!» — таково и отражение: «Да, ты недоволен, и ты не хочешь». Опять лишь сам факт — не больше не меньше.

Недовольство собой имеет ту же парадоксальную природу — оно порождает само себя. Есть одно «золотое» правило, которое можно включить в учебник для полных идиотов: «Если я себе не нравлюсь, то я себе не нравлюсь». И в этой тавтологии заключается принцип, которым, как ни странно, руководствуется большинство людей.

Взять, например, внешность. Можно заметить, что практически все маленькие дети очень симпатичны. Откуда же берется столько взрослых, недовольных своим внешним видом? Все оттуда же — из зеркала, которое возвращает обратно все претензии. Вырастают красивыми те, у кого преобладает склонность любоваться собой — вот в чем их секрет. Они руководствуются правилом: «Если я себе нравлюсь, то у меня появляется все больше оснований для этого».

Совсем другое дело, когда образ говорит своему отражению: «Что-то я поправилась, надо бы похудеть!» На что зеркало бесстрастно отвечает: «Да, ты толстая, тебе надо худеть». Или так: «Что-то я отощал, надо бы подкачаться!» На что следует ответ: «Да, ты хилый, тебе надо качаться». Реальность отзывается как эхо, подтверждая услышанное.

Вот так и комплекс неполноценности взращивает сам себя. Вслед за низкой самооценкой идет соответствующий приговор, который зеркало претворяет в действительность. «У меня нет особых талантов?» — «Да, ты бездарность». — «Я не достоин лучшей участи?» — «Да, тебе не на что больше рассчитывать».

А если вдобавок ко всему еще имеется врожденное чувство вины, тогда вообще пиши пропало. «Я повинен? Я обязан отработать свой долг?» — «Да, ты достоин наказания, и ты его получишь». Ну а как же иначе? Если человек, пусть даже неосознанно, ощущает свою вину, что должно отразиться в зеркале? Возмездие — всенепременно!

Стоит ли говорить, что беспокойство и страхи реализуются также незамедлительно? Человек опасается стольких вещей, что большинство из них не случается только потому, что это требует больших энергозатрат. Несчастья и катастрофы — это всегда аномалии, выбивающиеся из равновесного течения вариантов. Но если нежелательное событие лежит недалеко от течения, оно обязательно произойдет, потому что человек притягивает его своими мыслями.

А вот сомнения действуют наоборот. В отличие от страха, который фиксирует внимание на возможной реализации какого-либо события, сомнение больше озабочено тем, что это не произойдет. И разумеется, во многих случаях сомнения, как назло, оправдываются. Но почему назло? Это человеку лишь кажется, что здесь работает «закон подлости». На самом деле зеркало просто отражает содержание мыслей, и только.

В любом случае стремление чего-то избежать сильно повышает вероятность столкновения. Все делается наперекор, отчего человек нередко приходит в состояние раздражения, а то и пребывает в нем большую часть времени. Раздраженное состояние завершает общую картину мироощущения. В итоге получается интегральный образ: «Я ощущаю дискомфорт». В соответствии с этим выстраивается индивидуальная реальность, в которой все идет к тому, чтобы этот дискомфорт сохранялся и еще более обострялся.

Человек своим негативным отношением сам раскрашивает слой своего мира в черные тона.

Любое отношение, в которое вкладывается неистовое чувство души и твердая убежденность разума, отражается в реальности. Причем буквально, один к одному, независимо от того, что человек пытается выразить: влечение или неприятие. Здесь работает четвертый зеркальный принцип: *зеркало просто констатирует содержание отношения, игнорируя его направленность*.

Как поступает человек, когда видит, что реализуется то, чего он не хочет? Вместо того чтобы взглянуть на образ, он направляет все свое внимание на отражение и пытается его изменить. Отражение — это физическая реальность, и действовать здесь приходится только в рамках внутреннего намерения. То есть, если мир не слушается и двигается совсем не в ту сторону, нужно взять его за горло и тащить изо всех сил туда, куда тебе надо. Трудная задача, ничего не скажешь. А во многих случаях и вообще невыполнимая. И все потому, что ситуация совершенно нелепа: человек, стоя перед зеркалом, старается схватить руками свое отражение и что-то с ним сотворить.

Внутреннее намерение путем прямого воздействия стремится изменить уже свершившуюся реальность. Дом построен, но не так, как хотелось бы. Приходится его разбирать и переделывать, но в итоге все равно получается не так. У человека ощущение, будто он сидит за рулем неуправляемого автомобиля. Тормоза не работают, мотор то глохнет, то ревет на полную мощь. Водитель старается вписаться в реальность, но автомобиль ведет себя совершенно непредсказуемо.

По всей логике, для того чтобы миновать препятствие, нужно повернуть в сторону, однако получается совсем наоборот: с того момента, как только опасная преграда завладела вниманием, столкновение становится неизбежным. Руль поворачиваешь в одну сторону, а тебя несет в другую. И чем сильнее давишь на тормоза, тем выше скорость.

Получается, что не человек управляет реальностью, а реальность управляет человеком. Ощущения, как в далеком детстве: вот я бегу и реву изо всей мочи. Мир не желает мне подчиняться — вот он как меня обидел! Ничего не хочу слушать и понимать. Просто бегу и ору, и мой рев модулируется ударами ног о землю. Вспомнили, как это бывает? И что же это я такой бестолковый! Взрослые пытаются что-то объяснить, но у меня нет никакого желания в этом разбираться. Все должно быть по моему, и точка!

Я повзрослел, но ничего не изменилось — я так ничего и не понял. Я, как прежде, топаю ногой и требую, чтобы мир меня слушался. Но он все делает назло, и вот я снова бегу и ору. Бегу навстречу реальности, а ветер внутреннего намерения дует мне в лицо. Но все тщетно — реальность управляет мной, она заставляет меня, словно устрицу, реагировать негативно, и от этого сама же становится все хуже.

Как же управлять этим сумасшедшим автомобилем? Что должен сделать человек, в чем его ошибка? Ошибка заключается в том, что он смотрит, не отрываясь, на отражение. Отсюда и все его проблемы. А сделать следует вот что.

Прежде всего нужно прекратить погоню за отражением и остановиться. Это значит, надо оторвать взгляд от зеркала и отказаться от внутреннего намерения повернуть мир в нужную тебе сторону. В этот момент сумасшедший автомобиль замрет на месте, реальность тоже остановится. А дальше произойдет невероятное: мир сам двинется навстречу.

Мир движется навстречу

Обыденный человеческий разум безуспешно пытается воздействовать на отражение в зеркале, тогда как необходимо изменить сам образ. Образом является направление и характер мыслей человека. Вся беда в том, что люди сначала смотрят в зеркало и только вслед за этим выражают свое отношение к увиденному. Тем самым они, вольно или невольно, изъявляют намерение, что еще больше усугубляет действительность.

Склонность к негативизму порождает все новые негативные черты в зеркале. Индивидуальный слой мира окрашивается в мрачные тона и наполняется малоприятными для его владельца событиями. Когда человек впадает в уныние, в зеркале, соответственно, тучи сгущаются все сильнее. А стоит ему настроить себя агрессивно, как мир в ответ тут же ощетинивается. Обратите внимание: если вы поссорились с кемто, резко выразили свое недовольство, тогда вслед за этим обязательно нагрянет еще какая-нибудь неприятность. И чем больше раздражаешься, тем настырней цепляются новые напасти — все вокруг начинают чем-то досаждать.

Человек привязан к зеркалу нитями важности. Ведь все, что там происходит, — это, собственно, его жизнь, и она имеет большое значение. Человеку либо нравится то, что он видит, либо нет. Но в любом случае его мысли по содержанию совпадают с отражением и тем самым еще больше укрепляют существующее положение. Поскольку образ находится во власти отражения, постольку и человек попадает в полную зависимость от окружающей его действительности.

Чем неистовей чувство, тем сильнее привязка к зеркалу. *Что* ты думаешь — это неважно, главное — *о чем*. Нравится тебе отражение или нет — ты все равно думаешь об этом. Имеет значение лишь содержание мыслей. Неприятие всегда направлено в обратную сторону: «Да отцепись же ты!» или «Как надоело все это!» Но независимо от направления отношение несет в себе предмет недовольства. А неистовое чувство, рожденное в единстве души и разума, придает образу четкие очертания. В результате в отражении начинает преобладать все то, что соответствует *содержанию образа*.

Оттого бедные беднеют, а богатые богатеют — все они смотрятся в зеркало мира, и каждый по-своему констатирует облик окружающей его реальности. Эта реальность засасывает, как болото. Старушка в очереди за пенсией. Уставшая женщина с тяжелыми сумками в набитом автобусе. Больной, скитающийся по медицинским учреждениям. Всеми своими мыслями они пребывают в этой мрачной действительности. А кто-то в это же время наслаждается жизнью: море, яхты, путешествия, шикарные гостиницы, дорогие рестораны — все, что душе угодно. Во всех случаях независимо от характера обстановки производится констатация факта: «Вот так мы и живем». Точнее, *живем, как мыслим свое существование*. Зеркало подтверждает и все больше укрепляет содержание образа мыслей.

И не стоит приводить стандартные возражения, что, дескать, начальные условия у всех разные: кто-то родился в бедности, а кому-то досталось богатое наследство. Да, отправная точка во многом определяет, как начнется констатация образа жизни и как будет развиваться в дальнейшем. Но это вовсе не означает, что «стартовый капитал» решает все. Существует множество примеров, когда люди из самых низших слоев попадали в самое высшее общество, и наоборот. Может, это редкие исключения, которые лишь подтверждают правило? Верно, вот только если исключения все-таки возможны, значит, не так уж незыблемо это правило. В какой бы глубокой яме вы не находились, знайте: все можно изменить, причем радикально. И совершенно не важно, что вы понятия не имеете, как это осуществить. Вам не обязательно знать конкретный выход — он сам найдется.

Вам кажется, что вы пребываете во власти обстоятельств, изменить которые не в состоянии. На самом деле это иллюзия — бутафория, которую при желании легко разрушить. Дело в том, что мы все неосознанно ходим по замкнутому кругу: *наблюдаем реальность — выражаем отношение — зеркало закрепляет содержание отношения в реальности.* Для того чтобы преобразовать реальность, нужно просто выйти из этого круга.

Вот вы смотрите на окружающую действительность, и вам кажется, что изменить ее невозможно. И это действительно так. Внутренним намерением вы пытаетесь воздействовать на отражение, но вы не в состоянии оказать на него сколько-нибудь значительное влияние. По эту сторону зеркала слишком мало возможностей. Зато вы способны взять под контроль свое отношение к реальности, и тогда за дело возьмется внешнее намерение, а для него не существует ничего невыполнимого. На обратной стороне зеркала имеются такие варианты развития событий, о которых человеческий разум и не подозревает.

Так вот, для запуска механизма внешнего намерения требуется выполнение пятого зеркального принципа: *необходимо переключить внимание с отражения на образ.* Другими словами, нужно взять под контроль свои мысли. *Думать не о том, чего не хочешь и пыта-*

ешься избежать, а о том, чего желаешь и стремишься достичь.

Взгляните еще раз на формулу замкнутого круга. Человек в буквальном смысле движется по этому *зеркальному кругу*, как ослик. Привязанный к зеркалу своим отношением — примитивной реакцией на действительность, — он столь же незатейливо пытается догнать отражение в стремлении что-то в нем изменить. А теперь попробуем обратить зеркальный круг вспять: *выражаем отношение — зеркало закрепляет содержание отношения в реальности — наблюдаем реальность.* Что при этом получается?

Примитивная и беспомощная констатация отражения прекращается, а на ее место приходит намеренная и целенаправленная констатация образа. Вместо того чтобы привычно выражать недовольство по поводу увиденного в зеркале, я отворачиваюсь от него и начинаю в мыслях формировать тот образ, который хотел бы видеть. Это выход из зеркального лабиринта. Мир остановился, а затем двинулся мне навстречу. И вот я уже не бегу, а стою на месте, и теперь сама реальность надвигается на меня, и уже другой ветер дует мне в лицо — ветер внешнего намерения.

Я все сделал наоборот: прервал бесполезную погоню за отражением, отпустил мир и позволил ему самому разворачиваться в соответствии с моими мыслями. Зеркальный круг так и остался замкнутым, но теперь не я иду по кругу —

он крутится сам, движимый внешним намерением. На смену моему внутреннему намерению пришло внешнее, поскольку я отказался от попыток воздействовать на отражение. Я лишь целенаправленно формирую в мыслях желаемый образ, а дуальное зеркало уже само воплощает соответствующий сектор пространства вариантов в действительность.

Единственная трудность заключается в необычности ситуации. Непривычно то, что элемент «наблюдаем реальность» поставлен в самый конец круга. Человек больше привык действовать по правилу: «Что вижу, о том и долдоню». Он посылает миру свое воззрение, а тот, как эхо, возвращает обратно лишь выхолощенную суть: «Не хочу, чтобы шел дождь!» — «Дождь, дождь...»; «Не хочу учиться!» — «Учиться, учиться...»; «Не хочу работать!» — «Работать, работать...» В результате в действительности воплощается *рафинированное содержание отношения.*

Можно представить себе следующий монолог зеркала, уставшего от всей этой бестолковщины.

«Тебе плохо. Ладно, чего тебе надобно, чтоб хорошо было?

Ты не хочешь. Может ты, наконец, соизволишь ясно изложить, чего желаешь?

Тебе не нравится. Ну, так поведай, любезнейший, что угодно тебе?»

Все очень просто. *Негативное отношение необходимо заменить позитивным.* Следует провести инвентаризацию мыслей и изъять оттуда все частицы «не». Недовольство, нежелание, неприятие, неодобрение, ненависть, неверие в успех и так далее — весь этот мусор затолкать в мешок и выбросить на помойку. Ваши мысли должны быть направлены на то, что вам хочется и нравится. Вот тогда в зеркале будет отражаться только приятное.

Следует понимать, что благообразная реальность будет сформирована не сразу. Понадобится терпение и осознанность. Теперь все не так, как прежде: *вы не реагируете на окружающую действительность, а принимаете команду на себя и сами намеренно посылаете в мир свои мыслеформы.* Вопреки видимому негативному отражению, выражаете позитивное отношение. Да, это, скажем так, *необычно*, но что лучше: находиться во власти обстоятельств, как все *обычные* люди, или распоряжаться судьбой по своему усмотрению?

Настроение у людей формируется как реакция на складывающиеся обстоятельства, удачные или неудачные. Склонность к негативизму, как правило, удерживает расположение духа на низком уровне. А надо делать иначе — намеренно создавать себе настроение. Уже одно лишь знание того, что я способен управлять реальностью, значительно поднимает дух. Своим намерением я выбираю краски для своей реальности. Независимо от обстоятельств настраиваю себя на мажорный лад. Делаю это сознательно, а не реагирую примитивно на внешний раздражитель. Необходимо заиметь такую привычку.

Создать настроение поможет слайд — музыкальный, визуальный — что вам больше нравится. В идеале это должна быть картина, в которой ваша цель достигнута и вы чувствуете себя великолепно.

С другой стороны, будьте готовы к тому, что некоторое время в слое вашего мира не будет наблюдаться никаких изменений. Или, напротив, как назло, полезут всякие неприятности. Ну, так что же? Это все временные неудобства, связанные с «переездом» на новый уровень отношений с реальностью. Ведь вы знаете, что зеркало работает с задержкой. Нужно гнуть свою линию, несмотря ни на что. Спокойно держать паузу, в течение которой ничего не происходит. Должно быть буквально, как в той сказке: «Оглянешься — окаменеешь!» Пусть в зеркале пока творится черт знает что, но я-то знаю: никуда оно не денется — рано или поздно в нем отразится тот образ, который я создаю в своих мыслях. Если я не поддамся искушению оглянуться и буду твердо стоять на своем, в зеркале сформируется моя реальность. Все будет по-моему.

Мироощущение должно быть таким, будто вы уже имеете то, что хотите, или вот-вот собираетесь получить. Помните: зеркало материализует то, что содержится в ваших мыслях. Например, если вас не удовлетворяет ваша внешность, вы смотритесь в зеркало без удовольствия. Все ваше внимание направлено на неприглядные черты, которые вам в себе не нравятся, что вы и констатируете. Нужно понимать, что вы отражаетесь в зеркале мира в соответствии со своим отношением к себе.

Возьмите себе новое правило — не смотреть, а *подглядывать* в зеркало мира. *Хорошее выискивать, а плохое игнорировать* — все пропускать через этот фильтр. Сосредоточьте внимание на том, что хотите получить. Что вы делали раньше? Констатировали факт: «Я толстая и некрасивая. Я себе такой не нравлюсь». А зеркало все больше этот факт укрепляло: «Верно, так оно и есть». Теперь же у вас другая задача — выискивать в себе только те черты, которые вам нравятся, и одновременно представлять в мыслях желаемый образ. С этого момента вы только и делаете, что ищете и находите все новые подтверждения положительных изменений: *с каждым днем все лучше и лучше*. Если вы будете заниматься этой техникой регулярно, вскоре вам придется только успевать раскрывать рот от удивления.

В общем, надо сначала формировать отношение и только потом глядеть в зеркало, а не наоборот. Конечно, потребуется определенное время, чтобы к этому привыкнуть. Но игра стоит свеч. Теперь будете вы управлять реальностью, а не она вами. С учетом инертности материальной реализации отражение мало-помалу преобразится в позитивное. В слое вашего мира накопится столько приятного, что уже не потребуется уговаривать себя развеселиться. Зеркальный круг завертится легко и непринужденно. Главное — сдвинуть его с места и разогнать своим намерением, а дальше все пойдет как по маслу.

«Да ну! Что-то не верится... — скажет скучный Читатель. — Если б все было так просто...» Ну что ж, *не хотите верить*, тогда разворачивайтесь, и добрый вам путь по зеркальному кругу — за отражением — может, догоните. А если *не верите, но хотите*, тогда я скажу, что вера здесь вовсе и не требуется. Не нужно верить — просто исполняйте предложенную технику, а там сами увидите, что будет. Для обыденного разума такие вещи навсегда останутся непостижимыми, потому что работа внешнего намерения незаметна. Разум никогда не поймет, каким образом может осуществиться несбыточная, с его точки зрения, мечта. Он никогда не поверит, что такое возможно, пока не упрется лбом в свершившийся факт. Вот и оставьте — пусть разум копошится в своих сомнениях, а вы тем временем делайте то, что должны делать.

«Да ну! Что-то не получается...» — скажет ленивый Читатель. Действительно, зеркальная техника слишком проста, чтобы можно было поверить в ее действенность. Все мы привыкли к трудным решениям сложных проблем. Люди не верят, что их мысли действительно способны оказывать влияние на реальность, и всерьез такие вещи не воспринимают, а следовательно, и не пробуют этого делать. Это первая причина отсутствия видимых результатов. Второй же причиной является обыкновенная непоследовательность в действиях. Обычно люди быстро загораются какой-нибудь идеей и потом так же быстро остывают. Но ведь чудес не бывает! Требуется сделать определенную работу, только в данном случае не руками, а головой. Разве может зеркало, у которого есть задержка, сформировать ваше отражение, если вы только на мгновенье встали перед ним и сразу убежали?

Теперь, когда вы знакомы с основными зеркальными принципами, вам остается лишь применить их на практике. Это и в самом деле просто. *Для того чтобы мыслеформа зафиксировалась в материальной действительности, нужно воспроизводить ее систематически.* Другими словами, необходимо регулярно крутить в мыслях целевой слайд. В отличие от бесполезных мечтаний, которые происходят от случая к случаю, это конкретная работа.

Таким образом, взяв под контроль свои чувства, которые привязывают вас к отражению, вы получаете свободу от зеркала. Не следует только подавлять эмоции, они лишь следствие отношения. Нужно изменить само отношение — свой способ реагирования и восприятия действительности. Получив свободу, вы обретаете способность формировать нужное вам отражение. Другими словами, *управляя ходом своих мыслей, вы управляете реальностью.* В противном случае реальность управляет вами.

Управление реальностью может производиться в различной степени жесткости. Самый простой и легкий способ — амальгама. Она позволяет создать общий фон комфорта и благополучия, что в большинстве случаев вполне достаточно. Осуществление мечты уже требует большего терпения и целеустремленности. Зеркальную технику каждый может использовать в меру своих потребностей.

Вообще, утверждение, что мир является отражением наших мыслей, не ново. Это вроде всем подспудно понятно, но в то же время звучит как-то расплывчато, неопределенно. А потому и толку от таких знаний немного. Что делать и как? Некогда заниматься духовным просветлением, постигать тайные силы природы и развивать свои собственные.

Но теперь у вас в руках конкретная техника. Вы знаете, почему это работает и что нужно делать. Просто делайте это. Остановите свой бег по зеркальному кругу, и вы увидите, как мир двинется вам навстречу.

Намерение Вершителя

Итак, для того чтобы в зеркале мира получить желаемую действительность, необходимо выполнять элементарные вещи: намеренно формировать в мыслях соответствующий образ, не обращая внимания на запаздывающее отражение, и лишь подглядывать, выискивая все новые проявления нарождающейся реальности.

Вот только, даже имея осведомленность о задержке, уж очень трудно приноровиться к этому странному зеркалу. В сознании человека прочно укоренилось убеждение, что реальность либо подчиняется сразу, как палка в руке, либо вообще не поддается управлению. Казалось бы, если желание не исполняется тотчас, значит, это просто невозможно: чего нельзя, того нельзя. И человеку остается только мечтать и относиться к магии как к чему-то запредельному, недоступному.

Мы все привыкли, что магия стоит особняком от реальности. Мир фэнтези пребывает где-то там, в воображении, а реальная жизнь протекает здесь, от нее никуда не денешься и ничего не изменишь. Маги и экстрасенсы тоже обитают в своем особом мире, а мы, обыкновенные люди с обычными проблемами, маемся тут, в этой серой действительности.

Но на самом деле магии никакой не существует — есть лишь знание принципов дуального зеркала. Это знание лежит на поверхности. Оно настолько бесхитростно и обыкновенно, что по всем канонам не может быть «волшебным». Но все же и лампа Аладдина имела вид обыкновенной старой жестянки, и чаша Грааля была не из золота. Все великое непостижимо просто — ему незачем красоваться или прятаться. Пустое и бесполезное, напротив, всегда скрывается под покровом значительности и тайны.

Магия, лишенная сказочных атрибутов и внедренная в будничную жизнь, перестает относиться к области мистического и загадочного. Волшебство теряет свою завораживающую таинственность, поскольку ему находится место здесь, в повседневности. Но вся прелесть этой трансформации заключается в том, что повседневная действительность, в свою очередь, перестает казаться обыденной и превращается в незнакомую реальность, которой можно управлять как сновидением наяву. И требуется для этого лишь соблюдение зеркальных принципов.

Положим, вы уже знакомы с Трансерфингом и умеете работать с целевым слайдом. Но вот, время идет, а ничего не происходит. Ощущение такое, будто отправил письмо, а ответа все нет и нет. Разум начинает беспокойно ворочаться, ему не терпится. А может, я что-то делаю неправильно? А может, и вовсе ерунда все это?

На самом же деле мир не стоит на месте — идет процесс материализации отражения в зеркале. Просто этот процесс незаметен, потому и кажется, что ничего не происходит. В такой момент чаша весов разума колеблется между знанием о том, что зеркало реагирует с задержкой, и старой привычкой наблюдать почти мгновенную корреляцию между непосредственным действием и следующим за ним результатом.

О чем думает разум, если результата не видно? О том, что действие неэффективно или неправильно. А что в таком случае отражает зеркало? Верно. *То же самое*. Таким образом, процесс замедляется или уходит в сторону. Можно представить примерно такой диалог разума с миром.

— Хочу игрушку!

— Конечно, голубчик, ты хочешь.

— Но ты же обещал!

— Ну да. Ты просил, и я сказал, что будет тебе игрушка. По-моему, тебя вполне удовлетворило то, что она будет.

— Ты все не так понял! Я хочу игрушку сейчас, сию минуту!

— Да нет, я все понимаю: ты хочешь ее сейчас.

— Ну так где же игрушка?

— Действительно, где?

— Похоже, кто-то из нас идиот.

— Несомненно.

— Проклятье! Я совсем забыл, что ты всего лишь глупое зеркало. Как там с тобой обращаться? А, вот, вспомнил: ты даешь мне игрушку.

— Ладно-ладно, мой хороший.

— Ну, так что, мы отправляемся за ней?

— Конечно, золотко, иди ко мне на ручки.

И вот они трогаются в путь за желанным подарком. Теперь остается лишь набраться терпения и посвятить свое время радостным приготовлениям. Душа поет, а разум удовлетворенно потирает руки. Отчего не быть довольным? Ведь они с миром идут за игрушкой! Трансерфер должен понимать: сделанный им выбор превращается в непреложный закон, который неизбежно будет исполнен. И для этого требуется лишь фиксация внимания на конечной цели. Но человеку вечно все не так.

— Слушай, а туда ли мы идем? Что-то магазина игрушек не видать.

— Не волнуйся, мой хороший, уже скоро.

— А когда? Да нет, по-моему, мы забрели в какие-то подворотни.

— Ты так думаешь?

— Ну, точно, мы заблудились!

— Как скажешь, голубчик, ты же знаешь, я всегда соглашаюсь.

— Глупое зеркало! Я знал, что на тебя нельзя положиться! Куда ты меня завел?

— Просто я хотел по дороге завернуть в парк, чтобы заодно покатать тебя на карусели...

Человек чувствует себя неуверенно, если его водят с завязанными глазами. Его разум никак не может смириться с тем, что ничего не происходит или события разворачиваются не так, как было задумано. Разум устроен подобно кибернетическому автомату: если алгоритм работы нарушается, загорается красная лампочка. Отличие между ними лишь в том, что разум сам создает программу — сценарий, наивно полагая, что способен просчитать все ходы наперед. Примитивизм так называемого здравого рассудка заключается в том, что он не только задает стереотипную программу действий, но и настаивает на ней.

В тот момент, когда делается выбор, то есть ставится конечная цель-образ, зеркало мира получает заказ и приступает к его реализации по определенному плану. Каким путем следует формировать отражение образа, знает только зеркало — для разума данный путь непостижим. Но вот, когда разум видит, что события развиваются по какому-то странному сценарию, он начинает бить тревогу, и человек хватает мир за горло. Ведь надо что-то предпринимать! Он думает, что ничего не получается, и тем самым искажает целевой образ. А вдобавок ко всему принимается действовать так, чтобы поддержать свой сценарий, и опять только мешает реализации именно того неведомого ему плана, который действительно приведет к успеху. В общем, «в короб не лезет, из короба нейдет и короб не отдает».

Таким образом, человек, вцепившись мертвой хваткой в свой сценарий, по которому, как ему кажется, должен пролегать путь к цели, сам же не позволяет этой цели реализоваться. Но и это еще не все. Своим неуемным желанием поскорей получить игрушку человек нагнетает такой избыточный потенциал, что зеркало буквально искривляется. А что можно ожидать от кривого зеркала?

Желание, как таковое, тоже необходимо, ведь без него нет стремления. Если к этому добавить решимость действовать, получится намерение добиться своей цели. Но если добавить сомнение в реальности ее достижения плюс боязнь неудачи, то получится *вожделение*. Вот это и есть та самая *важность*, которую необходимо сознательно снижать. Само по себе желание не создает заметного избыточного потенциала — он возникает, когда вы хватаете мир за горло своими сомнениями и страхами.

Человек обычно рассуждает следующим образом: *я хочу, но опасаюсь, что ничего не выйдет, или сомневаюсь, получится ли*. Находясь под гнетом ответственности перед самим собой за победу или поражение, он предъявляет себе и миру жесткие условия. От мира ожидает, от себя требует. В результате получается тройное искривление зеркала: *хочу, боюсь, не отпускаю*. Кривой трельяж.

Если вы думаете, что намерение — это решительный настрой *потребовать* от мира то, что вам якобы причитается, вы ничего не получите. И если вы будете *просить* у мира то, что хотите, опять останетесь ни с чем. Поймите, все, что вам нужно, — это сделать заказ и *позволить* миру исполнить его. Ведь вы просто не даете ему это сделать, потому что *требуете, просите, боитесь и сомневаетесь*. Мир в таком случае тоже чего-то требует, просит, боится и сомневается, то есть совершенно безукоризненно отражает ваше отношение. Ведь он — всего лишь зеркало.

Необходимо прочувствовать это. Отпустить мир, позволить ему быть для вас комфортным прямо сейчас. Это зыбкое, мимолетное ощущение, оно быстро проходит, но вы должны его поймать. Представьте на мгновенье невероятную вещь: враждебный, проблемный, трудный, неудобный мир вдруг становится для вас радостным и комфортным. *Вы позволяете ему это.* Вам решать.

Вопрос не в том, чтобы быть счастливым по определению, а в том, чтобы впустить счастье в свою жизнь. Мы счастливы ровно настолько, насколько допускаем для себя возможность невероятной удачи. Нужно не заставлять себя быть счастливым, а позволить себе такую роскошь. Просто доверьтесь миру — он лучше знает, как добраться до цели, и сам обо всем позаботится. Ведь вы же не беспокоитесь о том, каким образом обычному зеркалу удается так изумительно точно воспроизводить образ? Стоя перед ним, вы думаете лишь о том, что вам хотелось бы видеть в отражении. Вот и зеркало мира работает так же безупречно, только с задержкой.

Ну а на тот случай, если вам не удастся проникнуться убежденностью, что на мир действительно можно положиться, имеется еще два зеркальных принципа. Возможно, действовать по инструкции для кого-то будет даже легче. Но прежде чем познакомиться с шестым и седьмым принципами, давайте вспомним *пятый*.

Предположим, вы определили свою цель и приступили к систематической работе с целевым слайдом. Вы осведомлены, что результаты не могут прийти мгновенно. И все же разум начинает беспокойно ерзать: время идет, а ничего не происходит или происходит совсем не то, что ожидалось. В такие минуты, когда сомнения вот-вот овладеют всеми мыслями, активизируйте свою осознанность. Ведь вы забыли правило: «оглянешься — окаменеешь».

Внимание должно быть зафиксировано на конечной цели, как будто она уже достигнута. Мир движется к вам навстречу до тех пор, пока вы сосредоточены на образе. Но стоит вам повернуться к отражению в зеркале, где творится бог весть что (или вообще ничего), как мир тут же останавливается, а вы опять возобновляете свой изнурительный и бесплодный бег по зеркальному кругу.

Вам придется постоянно напоминать своему разуму о том, что зеркало работает с задержкой и ему требуется определенная пауза для формирования отражения, то есть воплощения образа в действительность. Во время паузы нужно неуклонно стоять на своем, верить в успех в условиях, когда кажется, что все летит в тартарары. Насколько хватит дерзости не поддаться унынию, столько и получите. Вот это и есть настоящая магия, лишенная волшебных атрибутов, но обладающая реальной силой.

Оглядываться на зеркало, то есть выражать свое отношение к происходящему, следует лишь с тем, чтобы подметить позитивные сдвиги и позволить себе испытать приятное удивление. Другими словами, ваши глаза должны быть широко открыты на все, что свидетельствует о движении мира в направлении к цели, и наглухо закрыты на сопутствующие (и неизбежные) негативные проявления. Если хватает выдержки «не оглядываться», то, как правило, результаты превосходят все ожидания. Вам не только дадут игрушку, но и на карусели покатают, и мороженым угостят.

В самом общем смысле правило обращения с зеркалом можно сформулировать в следующей форме. *Смотрясь в зеркало, нужно двигать не отражение, а сам образ — свое отношение и направленность мыслей.* Другими словами, *«двигать собой»*, а не пытаться ухватить отражение, подобно тому, как это делает котенок, играющий со своим «двойником», но не понимающий, что это он сам. В песне известного музыканта и философа Бориса Гребенщикова есть такие слова: «Она может двигать собой... В полный рост».

Крутанувшись вокруг своей оси, вы наблюдаете, как мир начинает медленно и с запозданием поворачиваться вслед за вами. Вы не спешите хватать его, чтобы принудить вертеться. В этом разница между *внутренним* и *внешним намерением*. Внутреннее намерение заставляет вас пытаться воздействовать на отражение. Внешним же намерением вы оставляете в покое зеркало и концентрируете внимание на образе своих мыслей, тем самым получая в распоряжение реальную силу, способную двигать миром. «Мама, что мы будем делать, когда она двинет собой!»

Секрет силы заключается в том, чтобы отпустить хватку. Человеческий разум малейшее непредвиденное им обстоятельство, а также самое незначительное отклонение от своего сценария встречает в штыки. За этим незамедлительно следует столь же естественная, сколь и примитивная реакция — попытаться исправить положение, то есть возразить, отказаться, стоять на своем, спорить, делать резкие движения, что-то активно предпринимать, и так далее. В общем, разум хватается за отражение и старается гнуть свою линию.

Конечно, если внимание приковано к зеркалу, возникает иллюзия, что стоит лишь протянуть руку, и реальность — ведь она здесь, перед носом — сразу же подчинится. Не тут-то было. Несмышленый котенок поддается обману, играя с обычным зеркалом. Но человек, стоящий в сознании на ступень выше, попадает в ту же ловушку. Разница лишь в том, что иллюзия дуального зеркала более изощренна, и только.

Так вот, необходимо убрать руки прочь от зеркала и позволить миру *двигаться*. В большинстве случаев вовсе и не требуется предпринимать активные действия — вполне достаточно гибко и мягко следовать происходящему. Как известно из книги «Трансерфинг реальности», течение вариантов, если ему не мешать, направляет ход событий по наиболее оптимальному руслу. Примитивный разум склонен лупить руками по воде и грести против течения, отстаивая свои представления. Теперь, чтобы освободиться от иллюзии, нужно повернуть узколобое намерение разума в обратную сторону — пусть он динамично корректирует свой сценарий, включая туда все непредвиденное. Такая задача для него непривычна, но это единственное действенное средство, позволяющее выйти из роли котенка.

Итак, *шестой* зеркальный принцип гласит: *отпустить свою хватку и позволить миру двигаться по течению вариантов*. Внутреннее намерение меняет свое направление на противоположное, что приводит к парадоксу: отказавшись от контроля, вы получаете реальный контроль над ситуацией.

Взгляните на все, что вас окружает, глазами наблюдателя. Вы являетесь участником пьесы и в то же время играете отстраненно, подмечая любое движение в окружающей обстановке. Вам что-то предлагают — не спешите отказываться. Получаете совет — попробуйте над ним поразмыслить. Слышите чужое мнение — не торопитесь вступать в дискуссию. Вам кажется, что кто-то делает что-то не так, — ну и пусть. Обстоятельства изменились — не нужно бить тревогу, попробуйте принять изменения. Чем бы вы ни занимались, действуйте так, как будет проще всего. Стоите перед выбором — отдавайте предпочтение варианту, который дается легче.

Это не значит, что нужно тотально со всем соглашаться. Одно дело — закрыв глаза, отдаться во власть уносящего тебя потока, и совсем другое — намеренно и осознанно двигаться по течению. Вы сами поймете, где следует натянуть вожжи, а где сознательно дать слабину. Отпустите мир и наблюдайте за его движением. Следите за ним как мудрый наставник, оставляющий отроку свободу выбора, лишь изредка подталкивая в нужном направлении. Вы увидите, как мир закрутится вокруг вас.

Теперь мы подошли к тому, чтобы познакомиться с последним — самым главным и наиболее мощным зеркальным принципом. Наряду с безупречной отражающей способностью зеркало имеет одну особенность: правое в нем становится левым, а пространство, убегающее вдаль, на самом деле движется в обратную сторону. Люди давно привыкли к такому свойству и научились в уме делать преобразование иллюзии в реальность. Но с иллюзией дуального зеркала разум до сих пор не умеет справляться.

Проблема заключается в склонности человека в хорошем видеть плохое, позитив обращать в негатив, а свое же благо интерпретировать как злой рок. На самом деле мир не расположен строить козни. Неприятности не являются нормой, потому что на них всегда расходуется больше энергии. А природа не тратит энергию впустую. Течение вариантов всегда идет по пути наименьшего сопротивления. Можно сказать, оно следует *путем удачного стечения обстоятельств*. Основную массу проблем создает сам человек, когда лупит руками по воде и гребет против ровного потока. Но главное то, что склонность к негативизму порождает соответствующий образ, который зеркало воплощает в действительность.

Помните: мир всего лишь безупречно отражает ваше отношение к действительности. Каким бы мрачным ни казалось отражение — оно станет еще хуже, если вы отнесетесь к нему как к негативному. Точно так же негатив обратится в позитив, если вы своей волей объявите его таковым. Любое обстоятельство или событие несет в себе как нежелательный, так и полезный для вас потенциал. Выражая свое отношение на этой развилке, вы определяете дальнейший ход событий — в удачную сторону или нет.

При любых, даже самых неблагоприятных обстоятельствах вы в конечном итоге всегда останетесь в выигрыше, если будете выполнять *седьмой* зеркальный принцип: *всякое отражение воспринимать как позитивное*. Что бы там ни было, вам не может быть точно известно, является ли это для вас благом или злом. Выбирайте же для себя лучшее!

Более того, когда все складывается благополучно, нужно не принимать это равнодушно, как само собой разумеющееся, а встречать с радостью, заостряя свое внимание на том, что все идет прекрасно. *Что бы ни происходило, все идет как надо*. Это есть не что иное, как известный *принцип координации намерения* — его действие подробно описано в первой книге Трансерфинга.

Например, вы столкнулись с какой-то проблемой. На развилке только вам решать — объявить ее сложной или простой. Склонность к негативизму и усталость от трудной жизни заставляют согнуться под гнетом проблемы и мрачно констатировать:

— Ох, как тяжело! Очень сложная задача.

А мир тут же соглашается:

— Как пожелаешь, голубчик.

Он всегда соглашается. А коли так, сделайте наоборот, скажите себе: *«Все решается очень просто»*. Хоть через силу назовите эту проблему простой. Пусть это будет постулат. Ведь проблему, в сущности, делает сложной одна небольшая мелочь — сопутствующие обстоятельства. Так вот, эта мелочь определяется вашим отношением. И мир опять будет на все согласен. *Что бы ни происходило.*

— Все идет прахом? Да нет же, — говорите вы, — все просто замечательно!

И с видом полного идиота, как может показаться «здравомыслящему» человеку, удовлетворенно потираете руки («Так, очень хорошо!») или хлопаете в ладошки, или прыгаете от радости. И тогда в скором времени вы обнаруживаете, что, действительно, обстоятельство, казавшееся неудачным, на самом деле играет вам на руку. Данное свойство зеркала всегда действует настолько неожиданно и удивительно, что к этому невозможно привыкнуть. Всякий раз, когда поражение на ваших глазах начнет оборачиваться победой, вы будете испытывать ни с чем не сравнимый восторг, когда хочется воскликнуть:

— Нет, этого не может быть! Какая-то мистика!

А ведь раньше, с точки зрения «здравого смысла», вы рассуждали совсем иначе, оттого и получали все тяготы и лишения жизни по полной программе. С этого момента всякий раз, сталкиваясь с любой неприятностью или проблемой, вспоминайте о том, что мир в любом случае соглашается с вашим отношением к происходящему:

— Как скажешь, мой хороший.

Вы можете себе представить, чем отныне владеете? Вам больше нет надобности надеяться и ждать, когда Синяя птица соизволит вас навестить, а колесо Фортуны повернется в нужную сторону. *Вы — владелец своей удачи.* Своей волей вы объявляете любое событие или обстоятельство благоприятным, играющим в вашу пользу.

Это не упование на добрую волю мира, который заботится из любви к вам. Ведь мир — бесстрастное зеркало, и если он заботится, то лишь потому, что вы так в него «смотритесь». Это не уверенность, которую обстоятельства могут в любой момент поколебать. Это не самонадеянность, основанная на слепой вере в успех. И даже не оптимизм как черта характера. Это — *намерение Вершителя.* Вы сами формируете слой своего мира — вершите свою реальность.

Вы — Вершитель реальности, если умеете «двигать собой», предоставляя также и миру свободу движения. Двигать собой — значит, следовать трем последним зеркальным принципам. Вершитель — это не столько активный деятель, сколько наблюдатель. Не подчинить, а *позволить* — вот чем отличается его воля.

Теперь вы знаете, как обращаться с этим удивительным дуальным зеркалом. Вам больше нечего опасаться в мире, который другие считают враждебным, проблемным и несговорчивым. Он — ваш! Возьмите его за ручку и скажите себе:

«Мы с моим миром идем за игрушкой!»

Лига зеркальщиков

Казалось бы, в Трансерфинге вопрос о судьбе не стоит — она может быть произвольной в силу существования пространства вариантов, и ею можно управлять, руководствуясь принципами дуального зеркала. И все же этой теме стоит уделить еще немного внимания.

Мнения здесь разделяются. Одни считают, что судьба находится в руках ее владельца. Другие верят, что она предопределена. Третьи идут еще дальше, рассматривая судьбу как удел или рок, ниспосланный человеку свыше и обусловленный его деяниями в прошлых жизнях. Какая точка зрения стоит ближе всего к истине?

Каждая. Все эти позиции верны и даже равноправны. А разве может быть иначе в мире, который является зеркалом? Всякий, стоя перед ним, получает подтверждение образа своих мыслей. Нет смысла спрашивать у зеркала, суждено ли мне увидеть в отражении свое лицо грустным или веселым. С одной стороны, там отражается то, что есть, а с другой — каким пожелаю себя увидеть, таким и буду. Поэтому вопрос о судьбе — это вопрос выбора: избрать ли судьбу предначертанную или предпочесть свободную. Все дело лишь в вашем убеждении — что выбираете, то и получаете.

Если человек убежден, что судьба — это предопределенность и от нее не уйдешь, тогда действительно реализуется некий предрешенный сценарий. В пространстве вариантов, безусловно, существует отдельный поток, вдоль которого будет продвигаться кораблик жизни, если его пустить по воле волн. «Обреченный», барахтаясь в своем инфантилизме, с благоговением задирает голову к небесам, откуда, как шишки, сыплются «удары судьбы»: «О, сила провидения! О, десница рока!» На самом же деле вовсе не «на роду написано», а на лбу пропечатано то, что ты, олух, всего лишь находишься во власти бессознательного и весьма бестолкового сновидения, на которое сам же себя обрек.

Но когда человек берет управление в свои руки, жизнь его перестает зависеть от обстоятельств. Кораблик можно направить в какую угодно сторону от той «судьбы», которая якобы предначертана. Все очень просто: жизнь — как река. Если вы гребете сами, то имеете возможность выбирать направление, а если просто отдаетесь течению, то вынуждены плыть в русле потока, в котором оказались. Хотите карму — будет вам карма. Думая о том, что ваша участь зависит от каких-то неумолимых обстоятельств или ошибок прошлых жизней, вы тем самым реализуете соответствующий вариант. Воля ваша, ведь вы — сын Бога. Ну а если желаете быть Вершителем, то и это в вашей власти. Дуальное зеркало будет на все согласно. Вопрос лишь в том, умеете ли вы с ним обращаться.

В рамках модели Трансерфинга все это вполне очевидно. Единственной непостижимой загадкой остается пространство вариантов. Кто «положил» туда все то, что там имеется? Откуда оно там? И зачем? И что было до того, как все это туда положили?

Скажу честно: *не знаю*. Могу лишь выдвинуть гипотезу: пространство вариантов никто не «создавал» — оно существовало всегда. Человеческий разум так устроен, что ему кажется, будто *все* в этом мире чем-то или кем-то создается, а также имеет свое начало и конец. По-видимому, *не все*. Боюсь, что даже если поднять осознанность человека настолько, насколько он превосходит осознанность устрицы, то и этого не хватит для того, чтобы осмыслить подобные вещи. Есть в мире вопросы, которые лежат далеко за пределами возможностей разума. Ведь разум — это всего лишь логический автомат, хоть и обладающий способностью мыслить абстрактно.

Так вот, уровень моего абстрактного мышления позволяет мне лишь построить примитивную математическую модель. Если устремить чью-то условную степень осознанности к бесконечности, при которой уровень осознанности человека обращается в точку, тогда поставленный вопрос сводится к следующему: «Почему мне, точке, позволено занимать какие угодно положения на координатной плоскости? Кто создал координатную сетку? Кому это нужно? И что было до того, как?.. Непостижимо...» А если сказать этой точке, что помимо плоскости существует еще трехмерное и n-мерное пространство, то у нее вообще «крыша поедет».

Легче поверить в то, что судьба предначертана некими высшими силами, а также в то, что ее можно «вычислить» и предсказать, нежели в существование немыслимого пространства вариантов, в котором имеется абсолютно все. В любом случае людям неуютно жить в неизвестности, они стремятся получить хоть какой-нибудь намек на будущее, вот и идут к астрологам, предсказателям, толкователям. И здесь опять стоит вопрос принципиального выбора. Каково мое намерение: узнать, что меня ожидает, или же сотворить то, чего хочу?

Если избрана пассивная позиция, тогда, конечно, остается одно — обращаться к тому, кто имеет дерзость заявлять, что разбирается в «Книге судеб». А возможно ли это? Способен ли кто-то предсказать или «рассчитать» будущее? Несомненно. Более того, такое становится возможным именно в силу существования пространства вариантов. Иначе откуда ясновидящим взять фрагменты прошлого и будущего?

Бесспорно, события не могут развиваться произвольным образом. Секторы пространства вариантов связаны в цепочки причинно-следственных связей — линии жизни, которые подчиняются определенным закономерностям. А как можно судить о данных закономерностях? Очевидно, по каким-либо внешним проявлениям и признакам, каковыми могут служить положения небесных тел, сновидения, выпадающие комбинации карт и даже кофейная гуща. Случайностей не бывает. Понятие случайности — это лишь особая форма восприятия следствия при отсутствии детальной информации о причинах.

Но опять же именно в силу существования пространства вариантов — этого хранилища кинолент о прошлом и будущем — прогнозы далеко не всегда подтверждаются. Число вариантов бесконечно, так что нет никакой гарантии, что «с полки взята та самая кинолента», которой суждено «попасть в проектор». Речь может идти лишь о доле вероятности.

Одной из самых «точных» была болгарская ясновидящая Вангелия Димитрова, всемирно известная Ванга. Потеряв еще в детстве зрение, она обрела дар «видеть» пространство вариантов. Но даже при ее уникальных способностях «процент попадания», как в прошлое, так и будущее, колебался в районе семидесяти-восьмидесяти.

Предсказания искажаются и восприятием самих ясновидящих, и последующей их трактовкой. «Центурии» Нострадамуса до сих пор интерпретируют в самых разных вариациях. В прогнозах зачастую пытаются увидеть то, чего там нет, и наоборот, не замечают явного. Когда Ванга предрекла, что «Курск уйдет под воду», никто ничего не понял. Ведь от Курска до моря весьма далеко. Но когда затонула подводная лодка с тем же названием, то, наверно, у тех, кто знал об этом предсказании, холодок прошелся по коже.

И все-таки, если можно говорить лишь о вероятности того, что прорицатель увидит «тот самый» сектор пространства вариантов, тогда почему точность попадания оказывается достаточно высокой? Потому что предсказание, запечатленное в памяти человека, волей-неволей обращается в его намерение.

Отношение к всевозможным толкованиям и гороскопам особое — это баланс веры и недоверия. С одной стороны, человек не склонен всецело полагаться на такие вещи, а с другой — где-то в глубине его подсознания сидит мысль: а вдруг? Важность в отношении толкования минимальна: может, сбудется, а может, и нет. Это своего рода игра, которая ведется одновременно и понарошку, и всерьез. В результате возникает некое подспудное единство души и разума. При таких условиях создается мимолетный, но четкий образ, который зеркало мира охотно воплощает в действительность. Человек сам невольно реализует то, что ему было предсказано, — вот почему вероятность получается выше среднего.

Из биографии самой Ванги складывается впечатление, что она еще в детских играх будто намеренно программировала свою дальнейшую судьбу. Ее любимым занятием было «лечение» соседских детей — «пациентов». А еще она умела рассказывать различные выдуманные истории, которые все слушали как завороженные. Кроме того, Ванга увлекалась одной странной игрой: что-нибудь прятала в укромное место, а затем начинала искать этот предмет вслепую, продвигаясь к нему на ощупь. Как видно, картины создаваемых ею образов были настолько безупречны, что зеркало мира в точности воспроизвело их в действительности. Ванга стала целительницей и ясновидящей, а зрение потеряла в результате несчастного случая. Когда ей было двенадцать лет, ее подхватил ураган, после чего девочку нашли в поле, засыпанную песком.

Надо отметить, Ванга была убеждена, что от судьбы уйти невозможно, никакие усилия кого бы то ни было не могут изменить предначертанного. Получая видения о несчастьях, которые должны были произойти в будущем, она пыталась предотвратить беду, но у нее ничего не получалось. Бывали случаи, когда Ванга, зная, что людей ожидает смерть, отговаривала их отправиться в поездку либо просила покинуть то или иное место. И это не помогало — ее не слушали. Выходит, с Трансерфингом здесь имеется какое-то противоречие и судьба все-таки предрешена?

На самом деле никакого противоречия нет. Один человек не способен своим намерением существенно повлиять на жизнь другого. Человеку дана власть формировать только слой своего мира. Даже когда со стороны кажется, что влиятельный политический деятель распоряжается судьбами целых народов, на самом деле он всего лишь исполняет волю породившей его структуры.

Управлять своей судьбой способен каждый, но лишь при условии, что он берет руль управления в свои руки. Все дело в том, какую позицию занимает человек: активную или пассивную. Можно жить как живется, читая гороскопы и принимая судьбу как данное свыше. Но с другой стороны, если взяться за дело со всем усердием бестолкового разума, можно сотворить себе такую судьбу, что не приведи Господь. Поэтому под активной позицией будем понимать не умение лупить руками по воде и грести против течения, а *намерение управлять ходом своих мыслей в соответствии с зеркальными принципами*.

Такая позиция дает реальную власть над судьбой. Услуги прорицателей при этом теряют всякий смысл. Я вовсе не хочу заявить, что их предсказания ложны. Нет, индивидуальные прогнозы нередко подтверждаются, *но* они необходимы лишь тем, кто остановил свой выбор на жизни как бессознательном сновидении — и таких людей, кстати, всегда будет подавляющее большинство. Если же вы намерены превратить свою жизнь в осознанное сновидение, которым можно управлять, то услуги *зеркальщиков* для вас действительно не имеют смысла.

Ну а кем же являются астрологи, толкователи, предсказатели, если не зеркальщиками? Ведь они предоставляют не просто безобидный прогноз, а суррогатную часть вашей судьбы — кусочек зеркала, в которое вы будете вынуждены смотреться. А как же иначе? Будет ли данный прогноз воспринят вами серьезно или нет — не имеет значения, вы его взяли, и он останется сидеть в подсознании, программируя дальнейшую вашу судьбу. Даже если не говорить о деньгах, неужто вы полагаете, что можете получить кусочек будущего просто так? В Книгу судьбы нельзя заглянуть без последствий. И плата за этот товар всегда одна: *вам придется взять его с собой и сделать частью своей жизни, хотите вы этого или нет.*

Такая плата может оказаться роковой. И вина или, скажем, ответственность здесь лежит не на тех, кто продает судьбу как товар, а на тех, кто этот товар покупает. Интересуясь прогнозом, вы приобретаете зеркало и спрашиваете зеркальщика, можно ли вам сегодня туда улыбаться. Но ведь у вас уже есть зеркало — слой вашего мира, с которым можно творить все, что угодно. Со своим зеркалом я свободен: если захочу, могу своей волей Вершителя обратить любое поражение в победу — и так оно будет — и плевать мне на прогнозы.

Ну а коли нет желания быть Вершителем своей реальности, можно успешно пользоваться услугами зеркальщиков — это тоже выбор и способ существования. Точнее, способ безопасного движения по руслу судьбы. Прогнозы здесь могут сыграть роль знаков, как предостерегающих от возможных неприятностей, так и способных вселить надежду на успех. В этом отношении зеркальщики занимаются полезным делом. Но не все. Наиболее вредоносными из них являются предсказатели глобальных событий. Предрекая грядущие катастрофы и «концы света», они тем самым упорядочивают мысли больших групп людей в деструктивном направлении или, другими словами, программируют коллективное сознание. Даром это не проходит.

Что интересно, ученые тоже состоят в лиге зеркальщиков, хоть и не оказывают прямого воздействия на судьбы людей. На протяжении всей истории они только тем и занимаются, что пытаются объяснить нам, как устроен мир. Когда-то Земля была плоской, покоилась на трех китах, слонах, черепахе или на чем-то еще. Небесные светила в прежние времена вращались вокруг Земли. Прошло уже много тысячелетий, кое-что прояснилось, но процесс примерки все новых моделей продолжается по-прежнему. На смену классической физике приходит квантовая. Объекты микромира сначала объявляются частицами. Потом оказывается, что это скорей волны, которые время от времени не прочь побыть частицами. Затем следует очередная теория — она возвещает о том, что эти неуловимые объекты являются не волнами и не частицами, а струнами в десятимерном пространстве-времени. Мир, стоя в примерочной, соглашается и с этой моделью. Однако все равно, что-то не понятно, что-то не так. Ученые вынуждены добавить еще одно, одиннадцатое измерение, в результате чего рождается сверхновая М-теория, в которой струна превращается в мембрану. Забавно, не правда ли? Что дальше?

По всей видимости, этот процесс будет продолжаться до бесконечности. Вслед за очередной моделью будут появляться все новые и новые. Если вы встанете перед одним зеркалом, держа в руках другое, то поймете, почему мир имеет бесконечное множество моделей. В зеркале перед собой вы видите себя с зеркалом, в котором отражаетесь вы в зеркале с зеркалом, в котором... Понимаете?

Скорей всего, на вопрос о том, как устроен мир, ответа не существует. В рамках понятий человеческого разума, если взобраться на самую абстрактную вершину определений, мир выглядит *никак*. Он — просто зеркало наших представлений. Что мы о нем думаем, то и получаем. Единственное, что можно утверждать с уверенностью, так это то, что реальность многогранна, и констатировать некоторые ее закономерности.

Процесс же исследования строения мира подобен вышеприведенному примеру. Когда за основу берется одно из проявлений реальности, получается отдельная версия — кусочек зеркала. Встав вместе с ним перед основным зеркалом мира, мы увидим в отражении новый аспект. Взяв одно из проявлений данного аспекта, мы снова получим отдельную версию реальности. И опять из очередного зеркальца возникнет новое, отразившись в образе предыдущего.

Каким же является мир на самом деле? Вы можете попробовать себе это представить (если удастся) на примере двух одинаковых зеркал, установленных близко друг к другу. И то и другое отражает соседнее, стоящее перед ним. В обоих зеркалах — ничто, отраженное само от себя бесчисленное множество раз. Черная бесконечность образов, в которых *ничто* отражается от *ничего*. Поддается ли полученная картина какому-то описанию в пределах тех понятий, которыми располагает наш разум? Едва ли.

В заключение остается добавить, что маятники зеркальщиков в любом случае не пекутся о вашей судьбе, а преследуют свои интересы — им нужна постоянная подпитка от «клиентов». Люди желают каждый день знать о том, что их ждет завтра, вот и ходят беспрестанно к «осведомленным», внося лепту своей энергии, а взамен получая суррогат — кусочек сфабрикованной судьбы. Если внимание человека попало в петлю захвата маятника, торгующего судьбой, то он уже не может чувствовать себя уверенно, пока не прочитает очередной гороскоп или не узнает толкование своего сна. Возникает своего рода аддикция, наркотическая зависимость. Доза требуется постоянно для поддержания иллюзорной уверенности в завтрашнем дне. А маятники раскачиваются и процветают.

Трансерфинг в такой подпитке не нуждается: узнал принципы и гуляй себе на все четыре. Знание само по себе не является маятником — он возникает только в случае, если возникает соответствующая структура. Трансерфинг опять же не объясняет и устройство мира, а предлагает утилитарную модель, которая позволяет понять, почему управление реальностью возможно и как это делать. Точно так же можно успешно водить автомобиль, не имея представления о его устройстве. Миссия Трансерфинга заключается в том, чтобы вручить людям «водительские права».

Зеркальщики уверяют точку, что она должна двигаться по строго определенной линии графика функции — иного не дано. И это действительно так, но лишь в том случае, если сама точка принимает такие условия. Реальность существует независимо от вас. До тех пор, пока вы с этим согласны. Вам не удастся изменить весь мир, но отдельный слой этого мира — в вашем распоряжении. И для этого нет нужды менять себя — достаточно лишь воспользоваться своим правом Вершителя.

Теперь у вас есть дуальное зеркало — оно подобно джину, исполняющему все желания. Это уже не сказка, а реальность, которая, возможно, до сих пор скрывалась от вас под покровом обыденности. В отличие от сказочного, зеркальному джину нельзя приказывать. Не имеет смысла его упрашивать, а также искать у него сочувствия. Но стоит вам объявить о своем намерении — и волшебное зеркало охотно согласится: «Ладно-ладно, мой хороший». *Вы — истинный Вершитель своей судьбы, если намерены быть им.* Не отдавайте свою судьбу зеркальщикам!

Резюме

Зеркальные принципы:

1. Мир, как зеркало, отражает ваше отношение к нему.

2. Отражение формируется в единстве души и разума.

3. *Дуальное зеркало реагирует с задержкой.*

4. *Зеркало констатирует содержание отношения, игнорируя его направленность.*

5. *Думать не о том, чего не хочешь, а о том, чего стремишься достичь.*

6. *Отпустить свою хватку и позволить миру двигаться по течению вариантов.*

7. *Любое отражение воспринимать как позитивное.*

Управляя ходом своих мыслей, вы управляете реальностью.

Констатируйте формулу амальгамы при каждом удобном случае.

Нужно двигать не отражение, а сам образ — свое отношение и направленность мыслей.

Внимание должно быть зафиксировано на конечной цели, как будто она уже достигнута.

Для материализации слайда необходимо крутить его в мыслях систематически, достаточно продолжительное время.

Не следует подавлять эмоции, нужно изменить отношение.

II.

ПРИВРАТНИК ВЕЧНОСТИ

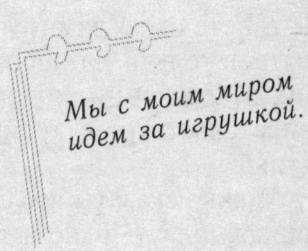

Мы с моим миром идем за игрушкой.

Энергия намерения

В предыдущей главе вы познакомились с принципами управления реальностью. Теперь поговорим о конкретных методах. Первым необходимым условием, без которого Трансерфинг вообще невозможен, является наличие достаточно высокого уровня энергетики.

Энергия бывает двух видов: *физиологическая* и *свободная*. Первую вы ощущаете как тепло и физическую силу — она вырабатывается в результате обмена веществ. Для поддержания физиологической энергии на должном уровне достаточно полноценно питаться, отдыхать и двигаться на свежем воздухе.

Свободная энергия приходит из космоса, протекает по *энергетическим каналам* и проявляет себя как бодрость или жизненный тонус. Это и есть, собственно, *энергия намерения*, благодаря которой человек ощущает себя способным к активным, решительным действиям. Если вы тянете свою лямку изо дня в день, когда сил хватает только на исполнение рутинных действий, и главное — ничего не хочется, тогда это свидетельствует о крайне низком уровне энергетики.

Можно сказать, что свободная энергия и жизненная сила — одно и то же. Молодость — это когда энергия намерения бьет ключом. Представьте себе старушку болезненного вида. Вот она ковыляет, кряхтит, ей с трудом дается каждое движение. А вот она неожиданно резко разбегается, делает упругие прыжки, высоко подскакивает и с победным воплем «Yes!» рассекает воздух резким ударом руки. Это кажется невероятным, но это именно то, что захочет сделать старушка, если выведет свою энергию на должный уровень.

Почему все свои лучшие творения человек создает в первой половине или трети своей жизни? Все дело в энергии намерения. Если ее поддерживать на должном уровне, то шедеврами можно блистать в любом возрасте.

Жизненная и творческая сила атрофируется, когда человек перестает к чему-либо стремиться. Есть люди, которые глядят на мир равнодушными глазами. Они все знают, все испытали, и, похоже, это чувство пресыщенности им нравится. Для них весь этот мир — словно вдоль и поперек исхоженный парк, где уже нечему удивляться. Они равнодушно-ленивым голосом поучают других, показывая, что им уже все знакомо. Такие люди рано стареют. Не уставайте смотреть на мир широко раскрытыми глазами, и энергии будет больше — таково ее свойство.

Если человек прекращает удивляться и стремиться к новым целям, тогда он не просто останавливается в развитии — он деградирует, то есть стареет. Жизнь — это процесс, в котором остановки быть не может. Есть движение либо вперед, либо назад. Такого состояния, как остановка и пребывание в неподвижности, в природе не существует. Даже скалы трансформируют свой облик. Чтобы активизировать энергию намерения, необходимо ее «зацепить» целью.

Энергия разжигается установкой на активное действие. Получается своего рода петля обратной связи: активное действие порождает намерение, намерение разжигает жизненную силу. Если сидишь и ничего не хочется — сделай хоть что-нибудь, вот и появится энергия. Иногда нужен какой-то начальный толчок, чтобы сдвинуться с места.

Может показаться, что у вас мало энергии и ее нужно где-то добыть, однако это не так. В действительности энергии у вас навалом — она ведь приходит из космоса, и вы можете взять, сколько унесете. Дело в том, что вы уже взяли, сколько могли. Энергия никуда не исчезла — просто она уже почти полностью задействована. Вся титаническая мощность расходуется на поддержание грузов двух разновидностей.

Прежде всего, это обязанности и ограничения, которыми вы себя обременили. Представьте себе такую картину. Вот вы взяли на себя обязанность что-то сделать — на вас сразу же вешается тяжеленькая гирька. Поставили себе какие-либо условия — повесилась еще одна. Что-то себе или кому-то пообещали — следующая. Сколько таких гирек у вас на шее? До тех пор, пока их не очень много, жить можно. Но однажды наступает момент, когда груз становится неподъемным. Тогда происходит срыв: загнанный в угол, человек заболевает, впадает в депрессию или с ним случается беда. Он начинает смотреть на мир напряженно, с недоверием и опаской. В результате чего реальность, как отражение мыслей, в самом деле приобретает все более мрачные тона — начинается черная полоса, которая может тянуться очень долго.

На втором месте стоит груз избыточных потенциалов. Придавая излишне важное значение различным вещам, вы сами себя отягощаете непомерной обузой. Это целая гора неподъемной поклажи. Чувство неполноценности: мне необходимо быть «крутым», защищать и упрочивать свою значимость. Чувство вины, ответственности: я обязан отработать повинность, исполнить свой долг. Преувеличение сложности проблем: мне предстоит большая работа. Сомнения и беспокойство тоже вечно гнетут.

Очень многие вот так и идут по жизни, обвешанные со всех сторон грузами всевозможных обязанностей, незавершенных дел, жестких условий, намеченных планов и многочисленных целей. Цель активизирует энергию намерения, но лишь при условии, что она реализуется, а не висит в проекте. Нет ничего легче, чем запланировать какую-то работу, поставить условия и дать обещания. Следует только знать, что, скрепляя себя любым, самым незначительным обязательством, вы навешиваете на себя груз, который отнимает часть энергии намерения. С этим грузом вам предстоит двигаться дальше.

Ну и вдобавок ко всему одной из главных причин слабой энергетики является прозаическая зашлакованность организма. Все очень просто. Энергетические каналы сужаются, как в старой трубе, обросшей накипью, в результате чего поток энергии превращается в тонкую струйку. Отсюда и дефицит свободной энергии, который влечет за собой остальные проблемы. Здесь и плохая физическая форма, и низкая креативность, и болезни, и все, что из этого следует.

Получается, из всей энергии, протиснувшейся сквозь узкие энергетические каналы, львиная доля идет на поддержание целой гирлянды бесполезных гирек. Тот жалкий мизер, который оказался в остатке, составляет всю наличность жизненного тонуса, из которого складывается бодрость, активность, жизнерадостность, оптимизм, желание всего и сразу, ощущение способности свернуть горы. Судя по своему состоянию, каждый может прикинуть, сколько этой наличности у него осталось. Едва ли найдется много «состоятельных граждан».

Таким образом, вся свободная энергия оказывается задействованной на целый ряд нереализованных — потенциальных намерений (планов), которые только отягощают. *Для того что-бы освободить ресурсы, необходимо либо вы-бросить часть потенциальных намерений, либо запустить их реализацию.*

Обратите внимание: что вас гнетет? Если поразмыслить, от многих гирек можно без сожаления отказаться. Большинство из этих увесистых безделушек кажутся очень нужными, но что толку, если вы постоянно носите их с собой, а реализовать никак не можете? Например: я непременно должен быть лучше всех; мне необходимо всегда быть на высоте; я докажу всем и себе, чего стою; я обязан пройти тот путь, который избрал; мне нужна только победа, иначе я перестану себя уважать; я не имею права на ошибки. Ну и так далее, типа, бросить курить, выучить иностранный язык и вообще, начать с понедельника новую жизнь.

Согласитесь, все, что бесконечно откладыва-ется на потом, — бесполезный груз. Его нужно либо реализовать, либо выбросить, потому что он отнимает энергию, которую тратить зря — просто глупо. Например, когда человек находит-ся в процессе бросания какой-либо вредной привычки, на это отвлекается двойная порция энергии: с одной стороны, все равно приходится платить маятнику проценты по ссуде, а с другой, еще и нести тяжелую ношу повешенной на себя обязанности бросить.

Такая канитель может продолжаться годами. Насилие над собой в любом случае нужно пре-вратить в убежденность, то есть если отказываться, то по убеждению, а не по необходимости. Загоняя себя в угол волевыми методами, человек нагнетает еще большую напряженность, за которой неизбежно следует срыв. Поэтому целесообразно выбрать одно из двух: либо решительно реализовать намерение, либо сбросить с себя гирьку обязанности и ввести привычку в управляемое русло.

Чем стрелять сигаретки и собирать бычки, лучше завести солидную трубку и покупать хороший табак. Чем шнырять по забегаловкам и выпивать за углом, лучше носить в кармане приличную фляжку. Это означает наладить со своим кредитором партнерские отношения. В результате вредный порок становится более умеренным и управляемым. Банк предоставит солидному клиенту льготные условия. Не говоря уже о том, что привычка, отпущенная на свободу, приносит намного меньше вреда, чем та, которую ненавидишь, но не можешь оставить. Декларация намерения здесь усугубляет все дело. Но, конечно, это есть не самое лучшее решение проблемы. Прежде чем превращать вредную привычку в цивилизованную манеру, нужно очень серьезно с собой поговорить.

Есть еще одна очень обременительная гирька — учеба, в смысле зубрежка. Если намерение направлено на то, чтобы набить голову информацией, создается большая напряженность. Намерение в этом случае не реализуется, а нагнетается. Движения нет — есть только напряжение. Поэтому, хоть я и скажу прописную истину, но она стоит того, чтобы ее повторить. Нет никакого смысла запоминать информацию — это будет мертвый багаж, который отнимет неоправданно много сил на «погрузку». Знания, в отличие от данных, усваиваются только в действии, на конкретных примерах, когда намерение реализуется. Например, если вы привыкли объяснять своим детям уроки, сделайте наоборот — пусть они вам их объясняют, сразу почувствуете разницу. Все дело в направлении намерения: его нужно переориентировать — *пассивное превратить в активное*. Ненужная гирька, требующая запоминания, сразу отвалится.

А может быть, у вас имеется какая-то одна большущая гиря, от которой вы уже давно втайне подумываете избавиться, но никак не решаетесь? Представьте, какая появится легкость, если ее сбросить. Отпустите себя, дайте себе больше свободы. Составьте перечень ограничений, которые вас угнетают, и сбросьте их с плеч. Тогда сразу же освободятся резервы энергии намерения, что позволит двигаться дальше.

Как уже говорилось, цель активизирует энергию намерения в процессе реализации. Лучше, конечно, отыскать именно *свою цель*. Если вам это удастся, тогда вопрос дефицита энергии, скорей всего, отпадет сам собой. Ведь душа и разум, воспрянув духом, с энтузиазмом помчатся к заветной мечте. Но если в данный момент вы не чувствуете в себе способности активно действовать, брать новые вершины, тогда нечего и пытаться искать *свою цель*. В таком случае велика вероятность, что маятники, воспользовавшись вашей слабостью, навяжут вам чужие цели. Чтобы отыскать *свою*, необходимо обладать достаточной степенью свободы, а это прежде всего свобода от обязательств перед другими и самим собой. И прежде всего для успеха этого дела необходимо освободиться еще от одной гирьки: *нужно позволить себе пока не иметь своей цели*. Для ее поиска требуется наличие свободной энергии — вот чем следует заняться в первую очередь.

Можно использовать три способа повышения энергетики: освобождение занятых ресурсов, тренировка энергетических потоков, расширение энергетических каналов.

Освобождая задействованные ресурсы, вы получаете ощутимый прирост силы. Раньше, если вы отдавали энергию маятникам, например, алкогольному, табачному, то теперь эта энергия в вашем распоряжении. Раньше вы расходовали энергию на озабоченность и беспокойство. Теперь эта энергия трансформировалась в решимость действовать. Раньше вы тратили энергию на колебания и сомнения, мучались вопросами о том, правильно ли поступаете. Теперь вы сами определяете, что для вас является правильным, а что нет. Раньше энергия уходила на переживания и обязанности, связанные с чувством вины. Теперь эта энергия свободна. Раньше вас мучила необходимость подтверждать свою значимость. Теперь вы позволяете себе жить в соответствии со своим кредо, и вам легко. Все прежние расходы превратились в доходы — в энергию намерения, с помощью которой вы можете формировать свою реальность.

В первой книге Трансерфинга уже говорилось о том, что энергия намерения поддается тренировке. Как физические упражнения развивают мышцы, так достижение новых целей повышает уровень энергетики. Но когда все основные вершины взяты, а жизнь переходит в спокойное русло, энергия намерения атрофируется. Снижение уровня можно компенсировать *энергетической гимнастикой*. Принцип состоит в том, что, выполняя любые физические упражнения, следует фиксировать внимание на *восходящем и нисходящем потоках*, как было описано в первой книге. Если к этому еще добавить *визуализацию процесса*, когда вы прокручиваете в мыслях слайд о том, что ваша энергия намерения с каждым днем все больше возрастает, то гимнастика становится гораздо эффективнее. Энергия намерения по индукции увеличивает сама себя.

Если вы сегодня интенсивно тренируете свою энергетику, тогда на следующий день ждите последствий. Вы думаете, будет подъем? Как бы ни так. Наоборот, полный упадок сил. Ведь если вы после длительного перерыва возобновляете интенсивные физические упражнения, то на следующий день все мышцы болят. То же самое происходит и с тренировкой энергии намерения. Только в этом случае вы испытываете не боль, а усталость и подавленное состояние. Вас это не должно беспокоить, потому что скоро все войдет в норму. Главное, заниматься систематически. Каждый день давайте себе установку: «Моя энергия намерения с каждым днем все больше возрастает». Уже после нескольких занятий вы почувствуете такой подъем, что захочется буквально прыгать и летать.

Ну и, наконец, самый прямой путь повышения энергетики — очищение организма и переход на питание натуральными продуктами без тепловой обработки. Почему? Это отдельная и далеко не тривиальная тема — она будет подробней рассмотрена в следующей книге. А пока для краткости можно провести такую аналогию. Энергия протекает в организме, как вода в трубопроводе. В чистом организме, как и в чистой трубе, напор воды сильней. Значит, очищение и поддержание чистоты в организме — просто и естественно. Хотя можно поступить иначе: прочистить трубу с помощью сильного напора воды. Таким путем следуют медитативные практики. Но это будет долго и сложно, а потому я предлагаю самый простой и прямой путь — очищение физиологическое.

Высокий уровень энергетики приводит человека в состояние, которое именуется вдохновением. В таком состоянии вы способны генерировать идеи, находить гениальные решения, создавать шедевры. Муза, как мотылек, всегда тянется к свету. Скептицизм и апатия свидетельствуют о низком уровне энергетики. При энергетическом дефиците вы всегда будете смотреть на мир с пессимизмом, что непременно отразится в реальности. Когда же у вас высокий жизненный тонус, вы транслируете в зеркало мира сильный образ преуспевающего человека, и тогда удача сама идет к вам навстречу.

По этому поводу нужно сказать еще вот что. Вы могли заметить, что вдохновение порой ведет себя странным образом. Иногда бывают моменты духовного подъема, когда невозможное представляется возможным, но почему-то вскоре энтузиазм угасает и сменяется прагматизмом. Оптимистический костер быстро сгорает, и вокруг воцаряется прежняя унылая картина серого мира, в котором окрыляющие идеи начинают снова казаться безнадежными. Что толку от такого вдохновения, которое способно лишь воздвигать воздушные замки?

Дело в том, что это вовсе не вдохновение, а эйфория. Данное состояние возникает при резком переходе от низкого уровня энергетики к высокому. Подобный переход случается при употреблении сильных стимуляторов, или просто, когда некая необычная информация будоражит воображение. Аномальный всплеск энергии открывает сознанию доступ к секторам пространства вариантов, лежащих в большом отдалении от текущих, реализованных. Теоретически данные варианты тоже могут быть реализованы, но они находятся далеко от русла течения вариантов, а потому требуют больших энергозатрат. По той же причине идеи, казавшиеся блестящими во сне, после пробуждения гаснут. В сновидениях душа чаще всего залетает в области, имеющие очень мало общего с реальностью.

По-настоящему реальные идеи рождаются только устойчивой энергией намерения. Причем лежат они недалеко от течения вариантов. Но для того чтобы сознание вышло за рамки материального мира и дотянулось до этих идей, требуется либо особый дар, либо стабильно высокий уровень энергетики. Так что недостаток таланта вполне можно компенсировать.

Энергия намерения дает человеку не только высокий жизненный тонус, позволяющий эффективно действовать в материальном мире. Гораздо интересней другое — чем выше энергетика, тем быстрее желаемое воплощается в действительность. Энергия космоса, проходя через тело человека, модулируется его мыслями и приобретает упорядоченную форму. Точно так же радиопередатчик преобразует электричество в сигнал, несущий информацию. Получив информационную упорядоченность, энергия человека «подсвечивает» соответствующий сектор пространства вариантов. В результате метафизический вариант получает свое реальное воплощение на физической стороне дуального зеркала — мысль материализуется.

Очевидно, чем больше мощность излучения, тем эффективней процесс материализации. Как вы знаете из предыдущей главы, реализация мыслей не происходит мгновенно, иначе наша жизнь была бы похожа на компьютерную игру в мире полного хаоса. Для формирования отражения необходим четкий образ, рожденный в единстве души и разума, или достаточно длительная целенаправленная концентрация внимания. Возможно, когда-нибудь изобретут «материализатор» пространства вариантов. Если, конечно, Бог позволит. Искусственный интеллект ведь до сих пор недосягаем — и наверно, так оно лучше, потому что неизвестно, чем это обернется. Для нас главное то, что *мы* способны превращать свои мечты в реальность.

Высокая энергетика не означает применение силы. Чтобы эффективней формировать слой своего мира, необходимо ощутить единство и даже тождественность с ним. Нужно по-новому взглянуть на окружающую действительность: *я владею своей реальностью, как своим телом*. Войти с реальностью в одинаковый временной режим — не ждать мгновенных изменений, а быть спокойным, терпеливым и целеустремленным.

Вы можете легко управлять телом — это для вас обычная вещь. Но есть люди, которые вследствие некоторых заболеваний утратили эту способность. Тело может выполнять неконтролируемые движения или вообще пребывать в парализованном состоянии и не слушаться намерения. Когда вы в смятении, ваше тело также не подвластно вам полностью. Например, у закрепощенного и стеснительного человека руки могут выполнять неконтролируемые движения. Нет единства души, разума и тела.

Гораздо хуже складываются отношения между человеком и слоем его мира. Человек ощущает себя изолированным от окружающей действительности. Слой будто находится где-то вовне — он делает неконтролируемые движения, и кажется, что на это никак нельзя повлиять. Но стоит человеку ощутить единство со своим миром, и он обретет способность управлять им, как своим телом.

Эта способность полностью атрофировалась, но ее можно восстановить. Для этого необходимо приучить себя постоянно обращать внимание на окружающую обстановку, ощущать себя частью этого мира, находиться в его контексте, искать те связи, которые вас с ним соединяют. Другими словами, *быть отдельной частицей мира и одновременно раствориться в нем.*

Не стану скрывать, что эта задача не из легких. Этому нельзя научить — человек может обрести единство с миром лишь путем своего повседневного опыта. И путь этот может оказаться длиною в жизнь. Поэтому для тех, кого не привлекает трудоемкая практика духовного совершенствования, имеются простые и доступные инструкции.

Дело вот в чем. Вы не всегда получаете желаемое немедленно. Но в любом случае вы получаете только то, на что направлено ваше намерение. Например, если вам требуется мышечная масса, внимание должно быть сосредоточено на слайде, в котором мышцы растут. Если нужно похудеть, все мысли должны быть о том, как тело становится все более стройным. Если ваша цель — повысить энергию намерения, вам необходимо сконцентрироваться на энергетических потоках и оболочке. Ну а если намерение никуда не направлено, вы ничего и не получите.

Выполняя упражнения бесцельно, вы напрасно тратите время и силы. Когда внимание сосредоточено не на цели, а на усилии, тогда просто расходуется физиологическая энергия, и только. Ведь усилие — это путь к цели, средство ее достижения. Так вы будете находиться все время в пути, поскольку зеркало отражает лишь то, что содержится в образе.

У детей энергия бьет ключом, но она неуправляема и бесполезно распыляется в пространство. Точно так же, если вы доведете свою энергию намерения до высокого уровня, но не дадите ей четкого направления, она будет бесполезна. Простая лампочка может осветить только близлежащее пространство. Узко направленный же луч лазера бьет на многие километры. Поэтому, *если вы хотите, чтобы ваша энергия работала, необходимо придать ей четкую направленность на цель*.

Целеустремленность направляет энергию намерения в строго определенную сторону. Необходима *концентрация — не напряжение, а сосредоточенность*. Обычно мыслемешалка работает сама по себе. Идеи рождаются и гаснут бесконтрольно, мысли скачут с одной темы на другую. Разум «сучит ножками», как младенец. Чтобы управлять реальностью, нужно стремиться держать свои мысли под контролем. Поначалу это немного напрягает, но потом входит в привычку.

А для того чтобы выработать такую привычку, достаточно выполнять одно простое правило: *приучайте себя думать о том, чем занимаетесь в данный момент.* Ничего не делайте просто так, бездумно, плавая в аморфном киселе неуправляемых мыслей. *Провозглашайте декларацию намерения.* Это не значит, что надо постоянно быть в готовности номер один. Отпускайте размышления в дрейф сколько угодно, но делайте это намеренно, по принципу: *если мой разум блуждает, то лишь потому, что я позволяю.* И так же намеренно возвращайтесь к сосредоточенному состоянию, когда это необходимо.

В общем, суть состоит в том, чтобы образ ваших мыслей по большей части содержал картину, которую вы хотели бы видеть в отражении дуального зеркала. Таким образом, для достижения цели не обязательно находиться в идеальном состоянии органичного единства с миром, а достаточно *систематически* фиксировать внимание на целевом слайде. *Управляя ходом своих мыслей, вы подчиняете реальность своей воле.*

Неважно, что мысли то и дело выходят из-под контроля. Главное, заиметь обыкновение возвращать их в русло целевого слайда. Когда по привычке ваши мысли снова и снова возвращаются к цели, слайд становится постоянным спутником — его картина всегда находится в фоне, в контексте всего происходящего с вами. В таком случае можете не сомневаться — образ будет сформирован, и зеркало мира неизбежно отразит его в реальности.

Уборка мира

У каждого человека имеется отдельный слой мира. Можно сказать, что отражающая поверхность дуального зеркала многослойна. Всякое живое существо, родившись, получает в распоряжение свою зеркальную пластину. Из мыслей и намерений индивида складывается образ, который в отражении создает отдельную реальность. Множество всех реальностей накладывается друг на друга, образуя то, что мы наблюдаем в материальной действительности.

Если говорить о человеке, слой его мира — это пространство существования, то есть все, что его окружает. Индивидуальная реальность формируется двумя способами: физическим и метафизическим. Другими словами, свой мир человек создает своими действиями и мыслями. Трудно оценить, какой из этих аспектов оказывает большее влияние на реальность. Скорей всего, мыслеобразы здесь играют главенствующую роль, поскольку создают значительную долю материальных проблем, с которыми человеку приходится бороться большую часть времени. Как вы понимаете, Трансерфинг имеет дело с исключительно метафизическим аспектом.

Каждый человек живет в своей определенной среде, его окружает множество людей и материальных объектов. Как из этого пестрого окружения выделить отдельную сферу существования? Очень просто. Если отбросить все материальное, то останется одна основная суть, интересующая нас прежде всего: *как идут дела, хорошо или плохо?* Окружение может быть богатым и бедным, дружелюбным и агрессивным, комфортным и не очень — но важно не это. Главное, насколько человек счастлив в этих условиях, получает ли он все то, к чему стремится, удачно ли складываются обстоятельства. Вот это качество слоя — его *оттенок* — и оказывает решающее влияние на все, что происходит в материальной действительности.

Слой мира может иметь как светлые, так и хмурые тона. Все зависит от того, как человек выстраивает образ своих мыслей — чем больше там негатива, тем мрачнее действительность. А чем хуже идут дела, тем больше накапливается неприятия, что по цепочке обратной связи затемняет слой еще сильнее. Из всего этого следует, что свою отдельную реальность, как и тело, нужно содержать в чистоте.

Все негативные мысли необходимо решительно и жестко отбрасывать прочь, чтобы они не портили ваш мир. Прочь! Точно так же следует выносить из дома мусор и убирать грязь. Нужно избавиться от всякого хлама. Иначе, как ни старайся, дела будут все время идти плохо.

Однако имеется такого рода хлам, который не удастся так просто выбросить из своего мира. Это прежде всего *чувство вины*, потом *комплекс неполноценности, сомнения, беспокойство, страхи, недовольство, неприязнь и худшие ожидания*. Они, словно болячки, от которых рад бы избавиться, да не можешь. Значит, будем лечить. Средства имеются.

Представьте себе такую картину: человек со своим миром отправляются на волшебном автобусе туда, где мечта превращается в реальность.

— Вот, мой хороший, мы едем за твоей игрушкой.

— Да, мир — это здорово!

Радостное путешествие обещает многое. Все идет прекрасно, чего еще не хватает! Но беспокойный разум так не привык, он вечно озирается по сторонам в поисках неприятностей. Ведь не может же быть все ладно!

— Эй, останови-ка. Вон там, как мне кажется, праведники, которые меня осуждают. Надо бы подвезти их, чтоб загладить вину.

— Да нет же, мой хороший, выбрось из головы эту чепуху!

— Надо-надо, иначе не будет мне покоя.

Автобус останавливается, и в него залезают липкие субъекты, которые начинают предъявлять какие-то претензии и что-то требовать.

— Мы — судьи твои!

Делать нечего, едем дальше. В целом не так все плохо, но человеку снова неймется.

— Смотри, — говорит он миру, — какие там замечательные люди, давай возьмем их, будет с кого пример брать.

— Помилуй, голубчик, к чему нам лишние попутчики?

Мир делает слабые попытки возразить, но вынужден согласиться, и автобус наполняется спесивыми личностями, которые всем видом показывают, что тебе до них далеко.

— Мы — твой идеал!

А на дороге уже голосуют Страх, Беспокойство, Сомнения и Худшие ожидания. И конечно, человек пытается рассуждать с умным видом:

— Быть может, эти мудрые путники укажут нам нужное направление и уберегут от неверного шага?

— Как изволишь, любезный мой, — соглашается мир и впускает галдящую публику.

— Мы — твой здравый смысл! — заявляют они и своими здравомыслящими стенаниями превращают поездку в сущий ад. В довершение ко всему дорогу перегораживают Недовольство, Осуждение и Неприязнь. Человек никак не желает встречи с ними, но мир уже привык брать с собой всех, на кого разум обращает внимание.

— Мы — твой страшный сон! — орут неприятные типы и с гоготом вваливаются в двери. Человек и рад бы избавиться от докучливых попутчиков, но — поздно. Автобус переполнен и дальше двигаться не может. Манипуляторы, картонные кумиры, кликуши, советники и прочая нечисть все испортили. Но кто виноват? Зачем было брать их с собой?

Самым деструктивным из всего этого мусора является чувство вины — осознанное или нет — неважно. Если вы замечаете, что мир наказывает вас или унижает, ведет себя так, будто издевается, пытается подчинить, значит, имеются все признаки болезни. Гоните эту заразу пинками прочь. Чувство вины — это зарвавшийся гость в вашем доме, который, развалившись в кресле с ногами на столе, диктует вам свои условия. Вы вполне способны вышвырнуть его вон, если осознаете, что это в вашей власти. Даже в случае, если вы действительно в чем-то провинились, у вас имеется право просить прощения всего один раз.

Чувство вины порождает наказание в самых разнообразных формах — от мелких неприятностей до крупных проблем. Можно порезать палец, а можно попасть в аварию. Внешнее намерение непременно включит в сценарий какое-нибудь наказание. Так устроен шаблон мировосприятия у человека: за проступком должно следовать возмездие, и душа вместе с разумом в этом полностью единогласны.

К тому же чувство вины сильно натягивает поляризацию. В результате равновесные силы навлекают на «повинную голову» всевозможные напасти. И самая досадная из всех неприятностей — манипуляторы, которые, словно надоедливые мухи, так и липнут. Они наловчились индуцировать чувство вины у своих «клиентов». Если человек имеет склонность брать на себя вину, манипулятор будет делать все, чтобы взвалить на него еще больше.

Комплекс вины насаждается извне еще в детском возрасте. Взрослые иногда пользуются запрещенными приемами, чтобы заставить своих воспитанников подчиняться. Если ребенок пребывает долгое время на попечении типичного манипулятора, в его неокрепшую психику прочно встраивается своего рода микрочип в виде неосознанного чувства долга или обязанности отработать какую-то повинность.

«Запрограммированный» обречен нести свой тяжкий крест и оставаться марионеткой в руках манипуляторов до тех пор, пока этот микрочип находится в подсознании. Но как его оттуда извлечь? Задушить вину нельзя и просто так избавиться от нее невозможно — слишком глубоко она засела. Душа и разум очень долго жили с таким ощущением: вечно быть всем чем-то обязанным. И вывести их из этого состояния можно только конкретным образом действий.

А именно, необходимо *прекратить оправдываться*. Здесь имеет место тот особый случай, когда лечение болезни как следствия устраняет его причину. Вам не нужно себя убеждать, что вы никому ничем не обязаны. Просто следите за своими обычными действиями, для чего потребуется осознанность. Если раньше вы имели привычку по малейшему поводу извиняться, то теперь заимейте другую привычку: *объ-*

яснять свои поступки только в том случае, когда это действительно необходимо.

Не надо убеждать себя в том, что вы не обязаны. Пусть чувство вины остается внутри. Но внешне вы не должны этого показывать. Манипуляторы, не получая от вас прежней отдачи, постепенно отстанут. В то же время душа и разум будут понемногу привыкать к новому ощущению: вы не оправдываетесь, значит, вроде так и надо, а следовательно, вины вашей просто не существует. В результате поводов для «искупления» будет появляться все меньше и меньше. Вот так, по цепочке обратной связи, внешняя форма мало-помалу приведет в порядок внутреннее содержание — чувство вины исчезнет, а вслед за ним и соответствующие проблемы.

Еще одна болезнь, которой страдает в той или иной степени практически каждый, — это комплекс неполноценности. С таким грузом человек ощущает себя недостойным или неспособным, что и отражается в действительности. В первой книге Трансерфинга подробно говорилось о *внутренней важности* — какие возникают проблемы, когда человек, ощущая себя в чем-то ущербным, стремится всячески повысить свою значимость. Парадокс заключается в том, что здесь действует закон, подобный принципу неопределенности в квантовой физике: значимость становится тем меньше, чем сильнее ее стараются подчеркнуть. И наоборот, человек, который не заботится о своей значимости, имеет ее безусловно.

Стремление укрепить свое положение, подчеркнуть свои достоинства — иллюзия, погоня за отражением по зеркальному кругу. Но как убедить себя в том, что чего-то стоишь и нет нужды это доказывать? Здесь имеется еще одна цепочка обратной связи, по которой следствие устраняет причину. Требуется сознательно переориентировать намерение: вместо того чтобы стараться себя показать, нужно вообще *прекратить всякие попытки повышения своей значимости*. Если человек этого не делает (а вы знаете, что это делают практически все, каждый по-своему), окружающие интуитивно чувствуют, что его значимость не нуждается в подтверждении. А коли так, к человеку начинают относиться с большей симпатией и почтением. В результате душа и разум постепенно проникаются убеждением, что «я действительно чего-то стою». Зеркальный круг в какой-то момент замирает, потом разворачивается и начинает двигаться навстречу. В результате самооценка повышается, и комплекса неполноценности как не бывало.

Сомнения, беспокойство и страх тоже основательно портят картину мира. Не забывайте, что после того как такие мысли отразятся в зеркале, в слой мира проникнет то, чего действительно придется опасаться. Но наибольший вред опасения наносят поставленной цели, потому что, как вы знаете из предыдущей главы, они превращают желание в вожделение.

Чем сильнее горит желание как страх перед поражением, тем больше *внешняя важность* и тем меньше вероятность успеха. От ожидания в форме вожделения нужно отказаться, иначе ничего не выйдет. Для достижения цели необходимо намерение — оно лишено сомнений и появляется, когда от простого «хотения» переходят к действиям.

Чтобы погасить этот зуд нетерпения, необходимо найти страховку, запасной путь на случай неудачи, а также с самого начала смириться с поражением. Но возникает вопрос: как можно заранее принять поражение, если мучает нестерпимая жажда получить свое? А вот увидите, когда у вас не будет ничего получаться, отчаяние, а может, и злость заставят вас махнуть рукой на ожидаемый результат.

От *внутренней важности*, то есть болезненного чувства собственной значимости, тоже можно избавиться с отчаяния. Если у вас что-то не выходит и тем самым сильно бьет по вашим амбициям, чувство безнадежности заставит вас плюнуть на все и бросить собственную значимость как опостылевший груз. Сразу почувствуете себя легко и свободно. И дело тут же наладится.

Сомнения в успешном завершении задуманного обычно возникают тогда, когда разум обдумывает пути и средства достижения цели. В книге «Трансерфинг реальности» много говорилось о том, почему об этом думать вообще не следует. Вы не можете точно знать, каким образом все уладится. Ваша задача — сосредоточить внимание на цели, как будто она уже достигнута, тогда внешнее намерение в свое время откроет нужные двери.

Теперь, когда вы знаете правила обращения с дуальным зеркалом, вас уже ничто не должно беспокоить. Самое действенное средство от сомнений и страхов — это зеркальные принципы. Во-первых, направьте намерение на поддержание амальгамы «мой мир заботится обо мне». Во-вторых, неукоснительно следуйте трем последним зеркальным принципам.

Например, вы собираетесь поступить в институт и хотите благополучно пройти конкурсный отбор. Перед испытанием скажите себе: а может, провал — это ваша удача? А потом весело и беззаботно идите на экзамен. Это называется смириться с поражением и двигаться по течению вариантов. Выполнять то, что от вас требуется, и в то же время думать о конечном результате с равнодушием. Или скорее *думать о любом исходе, как успешном*.

Не надо «делать вид», что вы не хотите добиться цели, — обмануть себя не удастся. Нужно не думать о том, каким образом цель будет достигнута, и не зацикливаться на своем сценарии. Ваше дело — выполнять работу по визуализации слайда и переставлять ноги в направлении к цели. Контроль разума следует направить не на сценарий, а на соблюдение зеркальных принципов.

Чего волноваться, если вас в любом случае ждет успех? Ведь это вам решать, как определить свое отношение — в сторону позитива или негатива. Все привыкли относиться к своим неудачам однозначно отрицательно, поэтому вынуждены подчиняться правилам игры, в которой успеха добиться трудно по определению. А вы сделайте неадекватный шаг: неудачу окрестите своим успехом. Вот тогда вам удастся выйти из общего строя, и победа будет обеспечена.

Здесь, как и в случае с чувством вины и значимости, действует цепочка обратной связи. Переключив внимание с зеркала на образ и прекратив погоню за отражением, вы останавливаете зеркальный круг. Вам нет надобности верить в успех и убеждать себя. Все, что требуется, — это *перенаправить намерение на соблюдение принципов*. После того как они начнут действовать, вы заметите, что в реальности происходят значительные перемены. Ваш разум убедится, что зеркало и вправду работает. До него, наконец, дойдет, что успех достигается совсем не так, как он себе представлял. В результате душа и разум успокоятся, страх и сомнения исчезнут, а зеркальный круг двинется навстречу.

Оставшийся хлам, который необходимо выбросить из своего мира, — это осуждение, недовольство, неприязнь и худшие ожидания. Касательно первого, нужно себе уяснить, что критика кого бы то ни было, даже если она справедлива, — крайне невыгодна. Очень неблагодарное это дело. Равновесные силы с целью восстановления баланса плохого и хорошего сделают все, для того чтобы на скамью подсудимых сел сам обвинитель. Причина и повод всегда найдутся. Так что на всякое осуждение со своей стороны лучше наложить табу.

Относительно остальных негативных отношений можно сказать лишь одно. Играя пьесу под названием «Меня не устраивает мой мир, мне не нравится моя жизнь», вы формируете и поддерживаете именно такую реальность. Вспоминайте снова и снова, что стоите перед зеркалом. Амальгама и три последних зеркальных принципа помогут преобразовать слой вашего мира в уютный уголок. Больше тут добавить нечего.

И последнее. Допустим, сейчас вам очень плохо — настолько, что просто сил нет заставить себя следовать каким-либо принципам. С чего начать, как *выправить реальность*?

Бывает, что жизнь становится совершенно невыносимой. Словно алкоголик трезвеет и обнаруживает вокруг себя мрачную и неуютную действительность. В самом деле, возьмем в качестве иллюстрации характерный пример, когда после веселой вечеринки наступает хмурое утро и надо тащить себя на работу. После праздников на предприятиях — сплошные проблемы. То, что люди не успевают включиться в рабочий ритм, это понятно, но ведь нечто подобное происходит и с техникой. Согласно статистике, по понедельникам ломается больше всего автомобилей, компьютеров и другой аппаратуры. Что же происходит с реальностью?

Реальность эта создается самими людьми, когда их слои накладываются друг на друга.

В течение периода похмельного синдрома человеку приходится возвращать маятнику «проценты по ссуде». При дефиците свободной энергии мысленный образ содержит большую долю негатива. Оттого возникает нервозная обстановка, работа никак не клеится. Зеркало реагирует соответственно, и реальность искривляется. Если дома выходят из строя бытовые приборы, то на предприятии совокупное искривление ведет к более ощутимым последствиям: происходят несчастные случаи, механизмы ломаются, сложная и, в особенности, точная техника работает нестабильно.

Дело в том, что если человек находится в депрессии или в измененном состоянии сознания, слой его мира затягивается в *мутные области* пространства вариантов. Реальность словно заволакивает пеленой. Вся окружающая обстановка остается на месте, условия прежние, даже погода может быть прекрасной, и все же в воздухе висит что-то гнетущее. Если в такие дни вы не обращали внимания на оттенки реальности — понаблюдайте. Вы почувствуете, что материальный мир смотрит на вас с холодной враждебностью. Изменилось качество его слоя: «дела идут плохо». Вот это качество — мутная пелена — и оказывает вполне ощутимое воздействие на все, включая технику.

Черная полоса начинается либо с физического недомогания, обусловленного дефицитом свободной энергии, либо с отрицательных эмоций, когда ожидания не оправдываются. Для того чтобы в будущем не допустить мутную область в свою реальность, необходимо прежде всего повышать энергетику — когда она достигнет должного уровня, раздражительность прекратится. Ну и конечно, делать все, о чем говорилось выше, — содержать слой мира в чистоте.

Но сейчас, если у вас депрессия, нужно сперва выправить реальность — вывести слой своего мира из мутного облака на чистую область пространства вариантов. Как это сделать?

Имеется один рецепт, простой, как все гениальное. Когда ребенок плачет, как его успокоить? Уговоры не подействуют. Надо повозиться с ним, проявить заботу, участие, уделить ему внимание. Так вот, когда вам плохо — это ребенок плачет внутри вас. Позаботьтесь о нем. Несмотря на то что многие из нас выглядят серьезными, солидными, крутыми и т. д. — все мы, в сущности, остаемся детьми. «Покатайте себя на карусели», что означает, займитесь тем, что вам больше всего нравится. Возьмите для исправления реальности специальный тайм-аут, в течение которого вы будете просто отдыхать, не думая о проблемах: «Мы с моим миром идем гулять». Это время стоит того, ведь слой очистить необходимо — от него многое зависит. Купите любимое лакомство: «Кушай-кушай, мой хороший, поправляйся». Посвятите весь день себе, своим удовольствиям. Поухаживайте за собой, заботливо уложите себя в кроватку: «Спи, мой хороший, твой мир обо всем позаботится».

Вот так. На следующий день, если не поленитесь соблюдать зеркальные принципы, вы почувствуете, как окружающая действительность начинает приобретать все более теплые, уютные оттенки — слой выходит из мутной области.

Если вы будете наблюдательны, вас поразит, насколько все это *реально*. Материальный мир, ранее казавшийся таким стационарным, начинает буквально на глазах пластично трансформироваться. Гнетущая атмосфера спадает, остановившиеся часы опять тикают, люди начинают относиться с большей симпатией. Это гигантское дуальное зеркало действует просто ошеломляюще. Реальность движется в пространстве вариантов незаметно, как минутная стрелка, — но она движется!

Так выполняется «косметический ремонт» реальности. Но это еще далеко не все. Капитальный сделать не желаете? Вспомните, как это было в юности, — все краски казались такими яркими и праздничными, жизнь была прекрасна и полна надежд. Вам было хорошо. Хорошо, потому что ваш слой, как и тело, были чисты и свежи. Мир заботился о вас, правда, вы не очень-то это ценили, но зато и не предъявляли особых претензий. Однако со временем претензий и негатива в образе мыслей становилось все больше. В результате оттенки слоя потускнели и жизнь вошла в тот период, когда говорят: «Вот раньше было!..»

Данный эффект в первой книге Трансерфинга описан как *смещение поколений*. Время летит стремительно. Все было, как будто вчера, и все было очень давно. Возраст цепко и неотвратимо берет свое. Надежды стареют, мир ветшает. Неужели вечеринка подходит к концу?

Нет, все еще можно вернуть. И прежние краски, и новизну ощущений, и восторг надежд. Если вы будете придерживаться зеркальных принципов, вам предстоит столкнуться с удивительным явлением: *слой мира возвратит былую свежесть*. Когда вам удастся выправить для себя смещение поколений, вы в полной мере ощутите, что это такое — *управлять реальностью*.

Коррекция зеркала

Во все времена человек создавал всевозможные модели управляемой реальности, начиная с наскальных рисунков и кончая сложными приборами и механизмами. Все эти модели объединяет одна общая черта — они подчиняются внутреннему намерению человека.

Внутреннее намерение, являясь продуктом чистого разума, действует прямолинейно, по принципу «куда поверну, туда и поеду». Человек способен подчинить своей воле лишь ту часть реальности, которую он сделал атрибутом своей игры. Например, можно подчинить управлению участок реки и получать при этом энергию. Но река в целом по-прежнему останется независимой частью неуправляемой реальности.

Ослика можно сдвинуть с места внутренним намерением, приложив к нему прямое усилие. Но убедить его делать то, чего он не хочет, невозможно. Независимая реальность подвластна только внешнему намерению, которое рождается в единстве души и разума.

У человека есть два способа управления реальностью. Первый способ — превратить объекты окружающего мира в атрибуты. Тогда они будут подчиняться внутреннему намерению. Второй способ — использовать внешнее намерение и жить в единении с природой. Это два принципиально противоположных пути развития цивилизации.

Наше общество развивается по первому — наименее эффективному и притом губительному для планеты и самого человека пути. Всю природу укротить невозможно, поэтому человек находится в состоянии постоянной борьбы с окружающей средой. То засоряет ее, то берется охранять — в общем, действует все по одному и тому же принципу: старается все превратить в свои атрибуты, чтобы подчинить их внутреннему намерению.

Неприрученная реальность существует независимо и ведет себя как зеркало, в котором отражается отношение человека к окружающей действительности. Но зеркало это — необычное.

Предположим, человеку надо, чтобы отражение в зеркале мира повернулось вправо. Действуя в рамках внутреннего намерения, он пытается повернуть само отражение. В результате создается избыточный потенциал и равновесные силы поворачивают отражение в противоположную сторону. Мир не подчиняется, потому что зеркало стало кривым.

Зеркало мира искривляется поляризацией. Как вы знаете, поляризация появляется по двум причинам. Первая — это отношения зависимости, основанные на сравнении, сопоставлении или определенных условиях. Например: «Я хороший потому, что ты — плохой», или «Ты хороший, если признаешь мое превосходство».

Вторая причина возникновения поляризации может быть определена как «закручивание гаек». Когда человек пытается давить на отражение своим внутренним намерением, у него ничего не выходит. Он думает, что надо еще поднажать, и с тупым усердием продолжает гнуть свою линию.

Равновесные силы устраняют поляризацию путем столкновения противоположностей. В итоге человек получает результат, совершенно обратный направлению внутреннего намерения.

Зеркало можно выправить, если устранить поляризацию. Делается это довольно просто, подобно тому, как выравнивается велосипедное колесо. Искривление возникает там, где спицы сильно перетянуты. Если мир не слушается и ведет себя как бы «назло», необходимо понять, чем вызвана поляризация, и ослабить соответствующий потенциал.

Разобраться в том, как это делается, нам помогут дети Индиго, поскольку они очень чувствительны к избыточным потенциалам. Отличительными особенностями Индиго являются: осознанность, стремление к независимости, интуиция, индивидуальность. Все эти качества проявляются у детей как реакция на попытки окружающих втиснуть их в рамки закоснелой социальной *структуры*.

Любая ячейка структуры, в том числе семья, стремится упорядочить поведение детей, подчинить контролю. В какой-то мере это действительно необходимо. Но не до такой степени, когда ребенка пытаются превратить в атрибут своей игры, в которой главенствует правило: «Ты будешь делать так, как я хочу».

Очевидно, такой примитивный подход создает поляризацию. В результате дети становятся неуправляемыми, словно листья, подхваченные ветром равновесных сил. Недовольные и тупые взрослые, как обычно, делают все, на что способны, то есть закручивают дисциплинарные гайки. А дети в ответ либо еще больше распоясываются, либо ломаются и превращаются в атрибуты — элементы структуры, у которых в жизни «все правильно, но ничего хорошего».

Конечно, никто не пожелал бы своему ребенку участи стать изгоем. Но и судьба рядового винтика также незавидна. Многие могут признать, что в их жизни было либо «все правильно, но ничего хорошего», либо «ничего хорошего и все неправильно». Каждый родитель хочет, чтобы у детей все было по-другому, а потому все сильней налегает на поляризацию, упорствуя в своем невежестве.

Все внутреннее намерение воспитателя-невежи сводится к одной идиотской формуле: «Я изо всех сил (изо всей своей дурацкой мочи) желаю тебе добра, а потому ты будешь делать так, как я хочу».

Между тем все проблемы воспитания эффективно решаются, если отказаться от узколобого внутреннего намерения и поразмыслить, что могло послужить причиной искривления зеркала.

Во-первых, необходимо определить, где находятся противоположные полюса поляризации. Если с одной стороны колеса спицы перетянуты, то с другой они должны ослабнуть. Стремление к независимости и неуправляемость детей Индиго — это «ослабленные спицы». Чем перетянуты спицы с противоположной стороны? Давлением окружающих в их стремлении подчинить детей своей воле.

Получается, что упорядоченность порождает еще больший беспорядок. Что будет, если и дальше закручивать гайки? Спицы еще больше разболтаются, и в конечном итоге что-нибудь может сломаться.

Очевидно, *для того чтобы снизить поляризацию, необходимо ослабить перетянутые спицы*. Как это сделать? *Упорядоченность следует разбавить долей разумного беспорядка*. Имеется множество способов: прыгать на кровати, дубасить друг друга подушками, истошно вопить или издавать нечленораздельные звуки, толкаться, бегать на четвереньках, наконец, придумать, как еще напроказить.

Можно также подкараулить другого члена семьи и напасть на него или учинить какое-нибудь безобразие. За столом полезно измазать друг друга вареньем, если под рукой нет пирожных. Или допустим, если летом на отдыхе возле водоема окажется грязная лужа, так это вообще удача — вы знаете, что надо делать.

В общем, чем больше таких вот «разумных» глупостей, тем послушней ребенок. Причина такого парадокса вам должна быть понятна.

Упорядоченность также хорошо разрушается английским юмором, когда серьезность доводится до идиотизма. Вообще, веселье, как и скука, это состояние души. Мы уже говорили о том, что скуки, как таковой, не существует, а есть лишь извечная потребность в управлении реальностью. Эта потребность является неотъемлемым свойством души.

А зачем душе веселиться? Ну, наверно, потому, что хорошо, когда весело. А почему хорошо-то? Да потому, что юмор и веселье снижают важность. Управление реальностью невозможно при наличии избыточных потенциалов, которые блокируют энергию намерения и искривляют зеркало мира.

Ведь если человека согнуть в три погибели и связать, разве его тело не будет чувствовать дискомфорт? Точно такой же дискомфорт ощущает душа, зажатая в тиски избыточных потенциалов, а они присутствуют всегда, в той или иной степени. Беспокойный разум постоянно «выкручивает» душе руки.

Когда веселье снимает напряженность, душа получает свободу. Вот поэтому и *хорошо*, когда весело — это ощущение душевного комфорта, и оно так же реально, как любое физическое.

Но в принципе, коррекцию зеркала можно производить и без юмора. Если по складу характера вы не расположены к веселым и озорным проделкам, тогда нужно просто подумать, где имеется возможность ослабить руль управления.

Принуждение там, где оно неизбежно, следует разбавить свободой выбора. Например: «Ты помоешь посуду или сходишь в магазин?» Даже дисциплина превращается в свободное волеизъявление, если она основана на осознанной необходимости.

Если взрослый диктует правило «нельзя, и все», подкрепляя его аргументом «потому что потому», тогда это вовсе не взрослый, а глупый ребенок, наделенный властью. Не лучше ли на равных обсудить и смоделировать ситуацию по принципу «что будет, если...»

Принуждение искривляет зеркало, а потому дает противоположный результат. Для того чтобы снять поляризацию, необходимо пересмотреть свою политику и перейти от демонстрации власти к завоеванию уважения, а авторитарность сменить на доверительные отношения.

Вместо принуждения лучше сделать так, чтобы ребенок сам захотел выполнить то, что от него требуется. Для этого необходимо всего лишь придумать, как превратить обременительную для ребенка обязанность в способ повышения его значимости. Подтверждение и укрепление собственной значимости лежат в основе мотивации всех людей, а детей — в особенности. Для общения с детьми как нельзя лучше подходят принципы Фрейлинга, изложенные в книге «Трансерфинг реальности».

Склонность к интуиции — еще одно качество, которое надо всячески развивать. У Индиго доминирует правое полушарие головного мозга. Наша образовательная система использует «левополушарный» подход, имея своей целью отнюдь не развитие способностей и навыков. Система принуждает детей *учить* уроки и исправно *отчитываться*. Намерение направлено не на получение знаний, а на то, чтобы правильно отчитаться.

При таком подходе работает главным образом левое полушарие, да и то в пассивном режиме. Стремление набить голову информацией порождает однозначную реакцию: «Не хочу!» Полученные таким способом знания бесполезны — они могут лишь непродолжительное время находиться в памяти в пассивном виде, подобно грузам на складе, и очень быстро приходят в негодность — забываются.

Между тем можно очень легко исправить сложившуюся ситуацию с образованием. Для этого необходимо всего лишь перенаправить намерение обучающегося в другую сторону.

Во-первых, в корне изменить методику обучения: *не выучить, а сделать практически*. В таком случае мозг будет работать, как ему положено, — в качестве творца, а не складского помещения.

Во-вторых, сменить цель обучения: *не отчитаться, а научить других*. Да, именно так. Есть специальные школы, в которых дети в буквальном смысле обучают друг друга, то есть попеременно играют роли учеников и учителей. Учащиеся таких школ блестяще осваивают сложные программы в рекордно короткие сроки. И все это благодаря тому, что намерение стало активным.

К слову сказать, таких школ — единицы и туда очень трудно попасть. Казалось бы, почему не внедрить повсеместно этот передовой метод, подтвердивший свою стопроцентную эффективность? Нельзя, ни в коем случае!

Дело в том, что *структуре* это не выгодно — ей нужны не таланты, не выдающиеся личности, не яркие индивидуальности, а исправно работающие *элементы*. Так что все в порядке, образовательная система — само совершенство! Она подготавливает исправные элементы и делает это именно так, как того требует структура — мир маятников.

Но, как водится, и на камнях растут деревья и в тисках всеобщего распорядка иногда вырастают гении. Если вы не хотите, чтобы ваш ребенок стал таким выдающимся исключением, давите на него по всем канонам системы. Ну а если вы действительно желаете своим детям добра, то при общении с ними необходимо постоянно следить за уровнем поляризации, которая искривляет зеркало и делает ребенка неуправляемым.

Дети Индиго (а таких сейчас большинство) обладают замечательными качествами, важнейшее из которых — индивидуальность. В мире маятников детям очень трудно сохранить в себе это качество. Поэтому нужно всегда помнить основное правило Трансерфинга: «Позвольте себе быть собой, а другому — быть другим».

Но и сильно ослаблять спицы тоже не следует. Во всем хорошо знать меру. Как же найти эту золотую середину?

Наблюдать надо, соображать и использовать принцип коррекции зеркала, а не слепо гнуть свою линию. В ваших силах помочь детям стать выдающимися личностями. А в структуру они и сами сумеют вписаться.

Вершитель реальности

До сих пор мы говорили о том, как превратить свою жизнь в осознанное сновидение, а слой мира — в уютный уголок. Зеркальные принципы оказывают хоть и ощутимое, но все же мягкое воздействие на реальность. Сейчас вы познакомитесь с более сильными приемами.

Основным инструментом Трансерфинга является целевой слайд — визуализация картины, в которой цель уже достигнута. Не буду повторять то, что и так подробно описано в первой книге. Напомню лишь главные моменты.

Нельзя смотреть на слайд как на внешнюю кинокартину. Вы должны находиться внутри воображаемых событий: чем занимаетесь, когда цель уже достигнута, что чувствуете, как себя ощущаете, что вас окружает, что происходит. Находясь в центре слайда, вы представляете, как имеете все то, к чему стремитесь. Это не техника, здесь нет никаких жестких правил. Все делайте так, как у вас получается. Принцип один: *вы стоите перед зеркалом мира и формируете в мыслях тот образ, который хотите получить в реальности.*

Целевой слайд определяет вектор течения вариантов. Если крутить его в мыслях систематически, поток событий и обстоятельств будет направлен к цели. В начале пути вам не обязательно иметь четкий план и знать, как он может быть реализован. О средствах думать не следует. В нужное время откроются нужные двери — конкретные пути и возможности, — и вы их увидите. *Нельзя ставить жесткие условия о том, как цель должна быть достигнута. Ваше дело — сосредоточиться на конечном результате.*

Помимо целевого слайда существует еще *визуализация процесса,* также описанная в первой книге. Когда вы находитесь на пути к цели, то есть уже знаете, как она должна быть реализована, и выполняете все, что для этого необходимо в материальном мире, процесс может быть ускорен его визуализацией. Принцип здесь такой: *у меня все получается просто замечательно, сегодня я все делаю лучше, чем вчера, а завтра будет лучше, чем сегодня.* Можно сказать —

это работа веслом по течению вариантов. Но главное все же — направление течения вариантов. Если вы держите в мыслях целевой слайд, все обстоятельства работают на достижение цели, пусть даже кажется, что это не так.

Прокруткой слайда можно заниматься когда угодно и сколько угодно. Но обязательно делать это хотя бы полчаса в день, если вы действительно намерены достичь своей цели. Для усиления эффекта визуализации имеется несколько конкретных приемов.

Первый из них — *энергетические потоки*. Сектор пространства вариантов материализуется энергией, которая, проходя через тело человека, модулируется мыслями и превращается в энергию намерения. Чем больше мощность излучения, тем сильнее эффект. Мощность можно увеличить, если сконцентрировать внимание на энергетических потоках. Для этого вообразите, что из центра тела, где-то на уровне живота или солнечного сплетения, выходят противоположные стрелки длиной полметра. Мысленно поверните их одновременно так, чтобы передняя смотрела вверх, а задняя — вниз. Такой «поворот ключа» активизирует нисходящий и восходящий потоки. Представьте, особо не напрягаясь, как они протекают вдоль позвоночника в двух противоположных направлениях и уходят — один в небо, другой в землю. Зафиксировав часть внимания на потоках, запускайте слайд и крутите его в свое удовольствие. Делать это лучше всего на прогулке, там, где не очень людно.

Следующий прием — *фрэйм*. Подумайте, чем вы любите заниматься, когда ваша цель достигнута, что является неотъемлемой частью целевого слайда, его непременным атрибутом? Допустим, вы сидите в качалке у камина, стоите за штурвалом своей яхты, сажаете розы в саду своего дома, пожимаете руку партнерам, заключив удачную сделку, — любой характерный фрагмент слайда. Прокрутите в мыслях эту картину несколько раз. Она должна создавать какое-то интегральное впечатление — мгновенный слепок слайда, содержащий в себе промелькнувший образ и сопутствующее ощущение. Вот это и есть фрэйм. Вы можете его для удобства как-нибудь коротко озаглавить. Теперь следует время от времени включать его в памяти на мгновенье, словно лампочку. Делайте это, когда вам заблагорассудится, опять же особо не напрягаясь. Фрэйм является еще одной ниточкой, связывающей вас с целевым сектором пространства вариантов.

Эффективность фрэйма можно повысить с помощью так называемой *взрывной волны*. Сформируйте в мыслях фрэйм или просто картину, которую вы хотите воплотить в действительность. Сразу же вслед за этим представьте, как от вас во все стороны стремительно разбегается сфера, словно ваша энергетическая оболочка взрывается. Взрывная волна распространяется так далеко, как можете представить. Можно проделать это несколько раз, пока не надоест. Что при этом происходит? Вы создаете мысленный образ и посылаете его в окружающий мир. Можете не сомневаться, ваша мысль не пропадет бесследно. Нужно только иметь в виду, что зеркало работает с задержкой.

Еще один прием — *внешняя сфера*. Возможно, вам ни разу не удавалось почувствовать свою энергетическую оболочку и вы не можете ощутить, как она расширяется, подчиняясь воображению. Это потому, что вы действуете внутренним намерением. А теперь вообразите вокруг себя сферу, которая вам не принадлежит. Представьте себе, что эта сфера тянет вас. Вы ощущаете, как нечто вне вас пытается растянуть ваше тело. Где-то в радиусе пяти-семи метров находится невидимый фронт. Попытайтесь его слегка растягивать и сжимать — он будет упруго сопротивляться.

Вот теперь вы ощутили сферу более явственно. Это и есть та грань, которая связывает вас с внешним миром. Внутри сферы — ваше, а снаружи — внешнее — не ваше. И в то же время сфера принадлежит вам постольку, поскольку вы ощущаете, как она тянет вас. Намерение обратилось: активное начало теперь находится не внутри вас, а снаружи.

Аналогично, пытаясь воздействовать на предмет внутренним намерением, например, двигая карандаш усилием воли, вы ничего не добьетесь. Попробуйте представить, как сам карандаш притягивает вас через невидимые нити. Вот этим связующим звеном вы и сами сможете его двигать. Точно так же, заставляя себя подняться в воздух, вы не взлетите. Представьте обратное, будто окружающий мир сам поднимает вас в воздух. Возможно, у вас что-нибудь получится, если удастся внутреннее намерение обратить во внешнее. Смысл в том, чтобы перейти ту грань, где ваша воля «заставить мир подчиняться» превращается в «позволить ему самому это сделать».

Все это очень непросто. Но для наших целей вовсе и не обязательно. Вполне достаточно ощутить хотя бы присутствие внешней оболочки. Поймайте это ощущение, зафиксируйте на нем часть внимания и начинайте крутить целевой слайд. Сфера послужит своего рода антенной для передачи мысленной энергии, что значительно усилит действие слайда.

Очередной прием — *приведение декораций*. Старайтесь всякие мысли, которые приходят вам в голову, приводить к общему знаменателю вашей цели. Обычно мысли, даже произвольные, выстраиваются в логический ряд, цепляясь друг за друга. Завершайте логическую цепочку каким-либо фрагментом целевого слайда. Просто напоминайте себе время от времени о том, к чему вы в конечном итоге стремитесь. О чем бы вы ни думали, чем бы ни занимались, возвращайте свое внимание к цели. Пусть слайд станет фоновой заставкой — каждое событие, каждый блок информации должен вами восприниматься в его контексте. Тогда вы будете наиболее эффективно формировать слой своего мира, и ваше намерение воплотится в действительность.

Окружающую обстановку также можно приводить в соответствие с тем, что ожидает вас у цели. Допустим, вы гуляете в парке и крутите в мыслях целевой слайд, в котором работаете в саду перед своим домом. Посмотрите на траву и деревья вокруг через призму этого слайда. Вы почувствуете, что картина преображается — декорации приобретают новые оттенки. Может появиться ощущение, будто виртуально вы уже находитесь в своем саду. Данный эффект возникает вследствие наложения слайда на окружающую обстановку. Часть внимания зафиксирована на секторе пространства вариантов, где находится ваш будущий сад, в то время как глаза видят материальную действительность. Происходит своего рода преобразование текущей реальности к сектору вашей цели. В такие моменты процесс материализации образа ваших мыслей идет наиболее интенсивно.

Вспомните еще, как в детстве, когда вам было легко и комфортно, мир заботился о вас. Тогда вы этого не осознавали. Вам просто было хорошо. Но со временем вы стали все больше капризничать и выражать недовольство, отчего мир охладел к вам. С чем ассоциировалось то ощущение спокойствия и уюта из детства? Вот эту ассоциацию можно сделать ключом для приведения декораций, среди которых вы чувствуете себя комфортно и в безопасности. Вспоминайте иногда ту прежнюю уютную и беззаботную обстановку, и ваш мир постепенно опять станет приветливым и удобным.

Ну и последний прием специально для ленивых — *целевая амальгама*. Главным условием успешной визуализации является то, что вы не должны принуждать себя это делать. В случае если вы крутите в голове целевой слайд и вам не удается просто доставить себе удовольствие, а приходится действовать с нажимом, возникает избыточный потенциал. В результате равновесные силы сведут на нет всю вашу работу. В таком случае лучше отказаться от этой гнетущей обязанности и переложить всю работу на плечи вашего мира. Попроситесь к нему «на ручки», пусть он сам позаботится о том, чтобы ваш выбор был реализован.

Давайте себе установку: *все уладится само собой, без моего ведома*. Объявляя о таком намерении, вы задаете программу своему миру, в соответствии с которой события самопроизвольно разворачиваются таким образом, чтобы приблизить вас к цели. Получается, вы отпускаете свою хватку и позволяете внешнему намерению реализовать цель. Теперь можете расслабиться и все-таки позволить себе удовольствие просто наслаждаться целевым слайдом. Вы больше не обязаны над ним работать — это делает ваш мир. Сидя у него «на ручках», не забывайте только время от времени напоминать миру, что ожидаете от него получить. Ну и конечно, не витайте в облаках, а выполняйте на физическом плане все, что от вас требуется для достижения цели.

Каким бы приемом ни пользовались, всегда помните о том, что вы не пожелание высказываете, а выражаете твердое намерение и рассматриваете цель как неизбежный финал. Если не можете сказать «я имею», скажите по крайней мере «я собираюсь иметь». Чтобы в самом деле вознамериться получить свой заказ, необходимо сделать что-либо конкретное, подтверждающее серьезность намерения. Например, если вы пожелали наутро встать в определенное время, то можете проспать. Но если завели будильник, то, скорей всего, проснетесь за несколько минут до звонка.

Смысл в том, чтобы *зафиксировать намерение*. Вы это делаете каждый раз, когда «стучите по дереву» или плюете через левое плечо. Любые народные приметы, которые подразумевают исполнение некоего ритуала, основаны на этом принципе. Например, для того чтобы удержать пугливую птицу счастья, в древности люди прибегали к помощи клевера. В момент удачи надо было подержаться за вещь с его изображением, в момент опасности — тоже. Трилистник также считали средством, оберегающим от злых сил.

Дело здесь не в том, что определенная вещь обладает исключительными свойствами и оттого может служить талисманом. Волшебная сила предметов заключается в отношении к ним. Если человек проникается верой, что талисман или ритуал способны произвести какое-то магическое действие, — он тем самым *фиксирует намерение*. Вы также можете придумать себе любой «гвоздь», на который вам будет удобно повесить свое намерение. Но это, как говорится, — на любителя. Не обязательно изобретать магические ритуалы, но следует предпринять конкретные шаги, свидетельствующие о том, что вы настроены решительно. Например, если хотите заиметь свой дом, действуйте так, будто уже вот-вот собираетесь переехать: просматривайте объявления и каталоги, выбирайте в магазинах мебель и бытовую технику, интересуйтесь всем, что этого касается, уже сейчас. Фиксация намерения — очень действенное средство.

Большое разнообразие способов усиления слайда не означает, что какие-то из них более эффективны, а какие-то менее. Вы можете использовать несколько приемов или выбрать всего один. Критерий выбора: *предпочтительным лично для вас является тот, который больше нравится и, как вам кажется, получается лучше всего.*

Применяя приемы на практике, нельзя вдаваться в крайности, проявляя либо излишнее усердие, либо беспечность. Некоторые методики рекомендуют выполнять визуализацию со всей энергичностью и страстью, другие предлагают сформулировать мысль и отпустить ее в свободный полет — даже не вспоминать, чтоб не мешать реализации заказа. Как вы понимаете, самое оптимальное — это золотая середина. А чтобы вы не ломали себе голову, где она находится, возьмите себе за правило такой принцип: *как у вас получается, так и надо.*

Вы сами способны разработать свою методику и успешно ее использовать. Главное, чтобы душа и разум сходились в том, что вы действуете правильно. Вы формируете свою реальность как отражение в зеркале. Каким образом стоять перед зеркалом — вам решать. Создавайте слой своего мира так, как вам *удобно*. Что я под этим понимаю?

Вы не должны испытывать душевного дискомфорта, когда занимаетесь визуализацией. Внешнее намерение появляется только в единстве души и разума. Единство это не может быть достигнуто, если вы насильно себя заставляете выполнять необходимую работу. Так вы ничего не добьетесь, а лишь напрасно потратите время.

Визуализацию целевого слайда следует выполнять именно так, как вам удобно, приятно, комфортно, с единственной оговоркой: на слайд нужно смотреть не со стороны, как на картину, а жить в нем хотя бы виртуально. Представляйте себя внутри слайда, а не снаружи. Все остальное можете делать так, как вам больше нравится.

Вот чего делать не следует, так это слишком усердствовать. Просто регулярно, время от времени, доставляйте себе удовольствие мыслями о вашей цели, как будто она уже достигнута. Ведь вам нравится думать о всевозможных последствиях успеха? Вот и делайте себе приятное. Не превращайте это занятие в обязанность. Думая о приятном, вы неуклонно двигаетесь к цели. А зная о том, что двигаетесь, — доставляете себе удовольствие. Можете быть уверены: если у вас получился такой вот «замкнутый радостный круг», цель неизбежно будет достигнута.

Регулярность — это главное условие успеха. Вам может казаться невероятным, что вот так просто, своими мыслями, вы способны сформировать свою реальность. А вы когда-нибудь пробовали хоть в течение месяца, систематически, осознанно направлять свои мысли к цели? Скорее всего, нет. Вы привыкли пускать свои мысли на самотек. Они распыляются бесформенной массой в пространстве, поэтому ощутимых результатов не видно. Только худшие ожидания, то есть вещи, которые вас беспокоят и потому занимают все ваши мысли, действительно сбываются.

Представьте себе такую нелепую ситуацию. Вы посадили яблоню и всерьез надеетесь, что яблоки появятся сию минуту. Но поскольку ничего такого не происходит, вы теряете терпение и уходите, махнув рукой. А яблоне так и хочется воскликнуть: «Да подождите же, черт вас возьми!» То же самое получается и с поставленной целью. Реальность нельзя сформировать единичным пожеланием.

Вот все основные приемы активного воздействия на реальность. Если вы будете их практиковать, вам предстоит столкнуться с одним любопытным явлением. Допустим, сегодня вы с воодушевлением и достаточно интенсивно занимались визуализацией. Тогда на следующий день вы заметите, что с реальностью творится нечто необычное. Например, в течение дня вам может встретиться несколько человек с необычной внешностью — слишком высоких, странно одетых, уродливых. Может обратить на себя внимание и необъяснимая раздражительность людей, когда возникают конфликты на пустом месте. Или происходит что-нибудь такое, странное, как во сне.

Объясняется это следующим. Слой вашего мира в обычном состоянии движется в пространстве по течению вариантов, то есть в русле наименьших энергозатрат. А интенсивная визуализация приводит к тому, что русло спрямляется и идет к цели по кратчайшему пути. Узконаправленная энергия мыслей заносит вашу отдельную реальность в переходные области пространства вариантов, лежащие в стороне от нормального течения, и где не все оптимально и целесообразно. Это *транзитные зоны*, которые обычно встречаются в сновидениях, но редко реализуются в действительности, поскольку имеют неестественные сценарии и декорации и требуют повышенных энергозатрат.

Энергия ваших мыслей с силой воздействует на реальность, и та деформируется, как поверхность воды под влиянием возмущения. Круги на воде вас уже давно не удивляют. Но теперь вам предстоит увидеть нечто потрясающее — *круги на реальности*. Все это не означает, что наблюдаемая аномалия случайна, что раздражительность людей в такие дни связана с какими-то магнитными бурями и что субъекты со странной внешностью просто иногда встречаются. Необычная действительность врывается в слой вашего мира, когда он проходит через транзитные зоны. Круги появляются именно после интенсивной практики визуализации. Когда вы это увидите, все поймете. Весьма впечатляет.

Таким образом, на реальность можно воздействовать силой той или иной степени, в зависимости от используемой техники. В принципе, для того чтобы превратить слой своего мира в уютный уголок, вполне достаточно одной амальгамы. Но если задействовать намерение Вершителя совместно с приведенными выше приемами, можно добиться гораздо большего.

Для сравнения представьте себе картину, где встречаются два малыша: одного мир катит в коляске, а другой идет сам за ручку со своим миром. Первый, как это водится у детей, с гордостью заявляет:

— А мой мир заботится обо мне!

Другой же ему отвечает:

— А мы с моим миром идем за игрушкой! Видите, в чем разница?

И последнее, о чем бы хотелось сказать. Однажды я получил письмо от читательницы, в котором она невольно сформулировала основную идею практики: «*Я не очень-то разбираюсь в технике Трансерфинга, но после того как я изменила свое отношение к жизни, у меня появилось стойкое ощущение, что все идет прекрасно, а будет еще лучше. Все просто будет так, как надо*».

Вы можете вообще позабыть о всяких приемах, но если вам удастся поддерживать в себе такое *интегральное ощущение*, этого будет до-статочно. *Интеграция намерения* по формуле «*у меня все прекрасно и все идет, как надо*» создает обобщенный образ успеха, который и отражается в действительности.

Так что ваши возможности ограничены толь-ко вашим намерением. Вершите свою реальность!

Координация сновидения

С началом жизни каждый человек попадает в определенную ситуацию: я родился в бедности, и мне не выкарабкаться; я вынужден довольст-воваться тем, что мне доступно; мне приходится делать то, что положено. Эта ситуация гипноти-зирует, захватывает, и человек оказывается во власти сновидения наяву, которое с ним *случа-ется*. Пока он сновидит эту ситуацию, она все больше утверждается в зеркале мира. Так че-ловек, пребывая во власти своей реальности, од-новременно поддерживает ее. Бедные беднеют, а богатые богатеют.

Помните, в предыдущей главе говорилось об иллюзии дуального зеркала? Именно *фиксация внимания на отражении* превращает жизнь в бессознательное сновидение, в котором вы на-ходитесь полностью во власти обстоятельств. Реальность довлеет над вами, пока вы, как заво-роженный, с беспокойством следите за происхо-дящим в зеркале. Точно так же внимание погружается в кинофильм на экране, только в жизни это погружение гораздо глубже. Вы загипнотизированы отражением — оно буквально тянет вас за собой по зеркальному кругу. Как превратить свое существование из бессознательного в осознанное сновидение, которым можно управлять?

Нужно понять одну простую вещь: в этом мире есть *вы* и есть *зеркало*. До тех пор, пока ваше внимание сосредоточено на отражении, *вы пребываете внутри зеркала*. Все, что там происходит, — происходит независимо от вас. Ваша жизнь похожа на компьютерную игру, в которой правила определены не вами. Конечно, вам дозволено предпринимать какие-то попытки оказать воздействие на то, что там творится. Но вы лишены главного: у вас нет возможности выйти из игры.

Между тем взаперти вас удерживает лишь одно — ваше внимание. *Вы способны выбраться из зеркала*. Внутри него — бессознательный сон, снаружи — осознанное сновидение. Реальность одинакова, что с этой, что с другой стороны, — ведь зеркало дуальное. Но там, в зазеркалье, не вы управляете реальностью — она управляет вами. Там вы находитесь во власти иллюзии, будто отражение можно изменить, прикоснувшись к нему руками. Но такое возможно лишь с этой стороны, где внутреннее намерение становится внешним. Для того чтобы выйти наружу, нужно перевести внимание с отражения на образ. Осознав, что стоите перед зеркалом, вы обретаете способность формировать реальность по образу своих мыслей.

Освободившись от иллюзии, вы должны в соответствии с пятым принципом *перенаправить ход мыслей*: с «не хочешь» на «чего хочешь», с «не нравится» на «что нравится», с болезни на здоровье, со средств на конечную цель. Если вы понаблюдаете, на каждом шагу вам приходится мириться с обстоятельствами и подчиняться неизбежным, как вам кажется, вещам. Вы привыкли воспринимать сновидение пассивно, как есть. В лучшем случае вы пытаетесь противостоять событиям, отстаивать свой сценарий, бороться с течением вариантов. А надо всего лишь изменить свое отношение — образ перед зеркалом. Тогда вы перестанете быть пленником игры — она начнет развиваться вне вас и по вашей воле. Из фишки вы превратитесь в того, кто бросает кости.

Но теперь вступает в действие новое правило: если выпала неудачная, с вашей точки зрения, комбинация — ее нужно принять и объявить удачной. Это правило следует выполнять, если не хотите опять оказаться внутри зеркала. Недостаточно перенаправить ход мыслей — необходимо еще *переключить контроль разума с разработки сценария на его динамическую корректировку*. Вы — хозяин своего мира до тех пор, пока соблюдаете шестой и седьмой зеркальные принципы.

Обычно разум противится, если наступающее событие не укладывается в его представления. Теперь должно быть все наоборот. Всякий раз, как разум проявляет недовольство по поводу нестыковки со сценарием, необходимо встрепенуться и с готовностью принять изменение: *все идет как надо*.

Разум никак не может свыкнуться с мыслью, что в начале пути, когда еще ничего не известно, нет нужды беспокоиться о средствах. Он сам постоянно ловит себя на том, что думает, как это может осуществиться, и проигрывает всевозможные негативные варианты. Так и хочется ему сказать: «Пойми же, кретин, это не твоя забота! Твое дело — фиксировать внимание на конечной цели!»

Люди сами не позволяют задуманному осуществиться. Загадывая желание, разум всегда заранее составляет примерный план развития событий — так уж устроено мышление человека. Когда же наступающие события не вписываются в сценарий, создается впечатление, что ничего не получается. А на самом-то деле все идет как надо! Но поскольку разум, привыкший мыслить штампами, не хочет вносить изменения в свой сценарий, человек начинает действовать таким образом, чтобы все испортить.

Вот в этом весь парадокс. Никто не может точно знать, как должны развиваться события, чтобы заказ был реализован. Но если человек все-таки настаивает на том, что знает, тогда в результате ничего и не получается. Ваши мечты кажутся труднодостижимыми потому, что вы находитесь во власти шаблонов и просто не даете этим мечтам осуществиться. Ваши двери заперты на замки стереотипов.

Формируйте в мыслях желаемый образ — цель, а потом просто переставляйте ноги в направлении к ней. Что бы ни происходило, все делается для исполнения вашего заказа. Возьмите себе намерение Вершителя: *все идет, как надо, потому что я так постановил.* В своем мире я распоряжаюсь, как хочу. Я уже не во власти обстоятельств, но и не пытаюсь управлять ими. Прокручивая в мыслях целевой слайд, я формирую не обстоятельства, а конечную картину мира, в котором намерен жить. Попытки повлиять на события — это работа внутреннего намерения разума, который старается отстоять свой сценарий. Разум не может знать, что его ждет на пути к цели. Обстоятельства формируются внешним намерением и течением вариантов. Мое дело — задать вектор течения, а по какому руслу оно двинется — меня не заботит.

Представьте себе: однажды вы пробуждаетесь в своем зеркальном сновидении. Вокруг что-то происходит. Обычные события и декорации, но вы смотрите на все по-другому, словно вырвались из потока событий и очутились в центре огромного сферического зеркала. Гигантский калейдоскоп медленно вращается вокруг вас, сверкая гранями реальности. Вы — часть этой реальности и в то же время существуете отдельно, независимо. Точно так же вы осознаете свою «отдельность», когда просыпаетесь во сне и понимаете, что теперь сон зависит от вас, а не вы от него. В зеркальном сновидении наяву — все то же самое, с той лишь разницей, что действительность реагирует не так быстро. Но стоит только свыкнуться с ее медлительностью, как открывается нечто удивительное — реальность пластично меняется, следуя образу ваших мыслей. Что все это значит? Куда вы попали?

Вы оказались снаружи этого мира — *вышли из зеркала*.

Вердикт Вершителя

Теперь, дорогой Читатель, вы знаете все, что необходимо для управления реальностью. Вы не сможете изменить весь мир. Но отдельная реальность — в вашем распоряжении. Когда вы освободитесь от иллюзии дуального отражения и окажетесь снаружи зеркального мира, перед вами откроется *Вечность*, таящая в себе неограниченные возможности. И в этих словах нет ни капли излишнего пафоса. В пространстве вариантов хранится три поистине бесценных дара: ваше будущее, которое вы способны материализовать, сокровенное Знание, которое может превратить вас в гения, и еще нечто такое, от чего просто дух захватывает.

О последнем вы узнаете чуть позже, а сначала поговорим о Знании. Вам может казаться, что ответы на ваши вопросы известны неким особо выдающимся умам, поэтому вы ищете нужные сведения в различных источниках, то есть учитесь у кого-то. И так может продолжаться до бесконечности. Вы только и будете всю жизнь обращаться к тем, просвещенным, которым якобы известно, что и как следует делать. Ну а те-то откуда все это знают? Может быть, они прочитали много книг и поэтому стали такими умными или, может, у них имеется в отличие от вас какой-то особый талант? Ни то и ни другое.

Представьте, что вы прилетели на Землю с далекой планеты. Здесь все иное, незнакомое, непонятное. Люди из вашей группы разделились и отправились в разные стороны. В результате каждый сделал какое-нибудь открытие. Оказалось, что в лесу можно собирать съедобные грибы и ягоды, в море можно купаться и ловить рыбу, в горах кататься на лыжах. А еще на Земле живут всякие существа — одни безобидны, а другие не прочь съесть вас самих.

Точно так же человечество постоянно открывает для себя что-то новое. Поток этих знаний нескончаем. Но изобретают и творят единицы, а остальные с удивлением смотрят: как этому человеку удалось до такого додуматься? Наверно, он избранный. Что же делает человека избранным?

Его цели и двери — уникальная, присущая ему одному *стезя*. Как только вы пойдете своей дорогой, вам откроются сокровища мира. И тогда другие будут на вас смотреть и удивляться, как это вам удалось. Вот так все просто.

Парадокс заключается в том, что этот простой принцип хоть и лежит на поверхности, но в то же время с трудом осознается. Все люди догадываются, что для достижения новых, непокоренных вершин успеха нужно выйти из общего строя и отправиться своей дорогой, но все равно продолжают упорно шагать по чужим следам, стараясь повторить чужой опыт.

Однажды, когда я был маленький, мои родители взяли меня впервые в лес. Отец с матерью то и дело находили грибы и радостно возвещали об этом всему лесу. А я никак не мог ничего отыскать и отчаянно метался между ними, наивно полагая, что стоит лишь последовать за кем-нибудь из взрослых, как счастье сразу же улыбнется — ведь раз они находят, значит, знают, куда надо идти. Но все было тщетно. И лишь тогда, когда я пошел самостоятельно в другую сторону, мне, наконец, попался большущий гриб. Родители заверещали от зависти, а я преисполнился гордостью за себя — первооткрывателя.

В тот момент я кое-что понял, но до конца так и не осознал. Впоследствии мир еще не раз показывал мне, что если свернуть с проторенного пути, которым следует большинство, и отправиться своей дорогой, то можно найти сокровища. Но потом я снова и снова вовлекался в общий поток, поддаваясь стадному инстинкту.

Здесь проявляется отличие *осознанного знания* от *осведомленности*. Вы можете о чем-то смутно догадываться, но это не поможет. Между смутным представлением и четко сформулированным знанием лежит целая пропасть. Первое в отличие от второго не подходит в качестве руководства к действию, а потому не имеет практической ценности. Трансерфинг в этом отношении расставляет все точки над «i», превращая смутные догадки в четкие формулировки — что и как делать.

А именно: в какой-то момент можно прекратить изучать старое и начать самому творить новое. Точнее, даже не творить, а *брать* оттуда, откуда берутся все открытия и шедевры — из Вечности. Для того чтобы получить доступ к информации, хранящейся в пространстве вариантов, вы должны заложить фундамент элементарных знаний из интересующей области. Без такого первичного фундамента вы не сможете настроиться на соответствующий сектор пространства вариантов, другими словами, *подключиться к банку данных*. Как только вы усвоили начальные сведения, можете забыть то, чему вас учили. С этого момента вы готовы сами делать открытия и создавать новые шедевры.

Книга, картина, мелодия — все это «вытаскивается» из пространства вариантов. Нужно лишь «зацепиться» за сектор. Зацепкой для мелодии могут служить два-три характерных аккорда. Для картины — настроение. Для книги — ситуация. Для того чтобы написать книгу, не обязательно изобретать сюжет — вы его потом узнаете. Весь сюжет выстраивается из ситуации, если усмирить самонадеянный разум и позволить героям самим выпутываться из создавшегося положения. Нет надобности сочинять — *там* это уже есть — нужно лишь спокойно следовать течению вариантов. Ведь все гениальное неожиданно просто. А течение вариантов как раз и следует таким вот неожиданно простым путем, до которого человек обычно додуматься не в состоянии.

Так можно писать даже компьютерные программы и разрабатывать техническую аппаратуру, без плана, отталкиваясь от некой отправной точки. Конечно, в некоторых случаях без проекта не обойтись, но там, где обойтись все-таки можно, хотя бы на отдельном участке, нужно следовать по течению вариантов — позволить концепции вырасти самостоятельно. Разум, пытаясь все спроектировать заранее, нагромождает сложную конструкцию. Течение же вариантов всегда выдает самое изящное и оптимальное решение, отчего потом остается только удивляться: как это все так ладно сложилось, без тщательно разработанной схемы?

Так что лучше не сочинять, а просто заниматься делом, последовательно продвигаясь от начала и до конца. Отправной точкой во всяком деле служит идея — это главное, все остальное довершит течение вариантов. Идею также не следует изобретать. Откуда же она возьмется? Да все оттуда же. Все гениальные догадки пребывают в Вечности и попадают в разум через посредство души. Задача разума не придумывать идею, а *распознать* ее, когда она сама свалится на голову. А это обязательно произойдет, если *выйти из общего строя и отправиться своим путем, подчиняясь велениям сердца.*

Душа имеет прямой доступ в пространство вариантов, а разум, улавливая смутные догадки и озарения, интерпретирует их. Разум не ведает — душа знает, нужно лишь обратиться к ней. И на это кажущееся легковесным утверждение вполне можно положиться. Мешает лишь то, что здесь опять же имеет место не ясное осознание принципа, а смутная осведомленность. Все вроде бы согласны, что душа якобы знает все, но никто не принимает это всерьез. Все проходят мимо, считая, что это метафора, и не придают значения. Здравый смысл рассуждает: «Конечно, есть озарения, есть внутренний голос, интуиция, но все это шатко, неосязаемо, ненадежно. То ли дело моя железная логика, основанная на неопровержимых фактах».

Так вот, если у вас есть базовые сведения из определенной области, душа может настроиться на соответствующую область пространства вариантов и получить оттуда новое Знание, о котором нигде не прочитаешь. Задайте вопрос себе самому, сформулируйте его четко и на время забудьте. Через несколько дней ответ придет сам. Если не придет, задавайтесь этим вопросом время от времени снова. Может, ответ придет через несколько месяцев, но он придет непременно.

Вопрос лишь в том, хватит ли решимости взломать устоявшиеся стереотипы и выйти из подчинения общепринятым нормам — *нарушить правило маятника*. Нужно иметь дерзость воспользоваться своим правом на Знание, прекратить искать ответы на вопросы в чужих книгах. Просто изменить направление намерения: *не получать, а создавать.* Чем вы отличаетесь от авторов книг, которые читаете? Только тем, что они изменили направление намерения — перестали искать и принялись творить. Они прекратили идти на поводу у признанных авторитетов и отважились отправиться своим путем. *Возьмите и вы свое право быть правым.*

Вот здесь мы подошли к тому, что я подразумевал под третьим даром, который ждет вас в пространстве вариантов.

Попробуйте представить, как чувствует себя человек в роли суперзвезды. Поклонники видят лишь то, что лежит на поверхности — сияние таланта, блеск славы, богатство. Создается впечатление, что этот человек не является простым смертным, а наделен какими-то исключительными достоинствами. Разве такое возможно для заурядной личности: подняться на самую вершину успеха и держаться там настолько уверенно, что никто не смеет подвергнуть сомнению его исключительность?

Однако для самого избранного все атрибуты его славы обычны, даже чуть ли не обыденны. Едва ли он причисляет себя к жителям Олимпа, поскольку наедине с собой осознает, что он — один из многих — такой же, как все. В чем же отличие? Что разделяет провинциальную девушку и звезду шоу-бизнеса, робкого студента и светило науки, заурядных и избранных?

Всего лишь один шаг. Одни посмели взять себе свое право, а другие до сих пор не решаются, да и не верят, что способны и достойны. В сознании робких прочно сидит убеждение, что в этом мире избранные существуют постольку, поскольку их выбрали все остальные за исключительно выдающиеся качества. На самом деле это ложный стереотип. *Избранные выбрали себя сами.* И уж только после этого и именно поэтому остальные обратили на них внимание.

Возьмите себе право быть избранным. Скажите: с этого момента *я выбрал себя.* Вы не потому имеете право, что достойны и способны, оно — это право — у вас просто *есть.* В пространстве вариантов есть все, и там имеется нечто, самое главное, предназначенное лично для вас — *вердикт на ваше право.* Это ваш пропуск в Вечность, санкция на привилегию вершить свою реальность.

Вас всю жизнь наставляли и продолжают учить, какими вам надлежит быть, как поступать, что почитать, к чему стремиться. Теперь возьмите себе законное право устанавливать собственные каноны. Вам решать, что для вас правильно, а что неправильно, поскольку вы сами формируете слой своего мира. Вы вправе определить верным то, что другие считают ошибочным, если это никому не приносит вреда. *Пользуясь привилегией выносить свой вердикт, вы живете в соответствии со своим кредо.*

В нашей жизни сколько людей, столько и мнений. Одни твердят — это «черное», другие — это «белое». Кому верить? А вы вспомните, ведь мир — это зеркало — он соглашается с каждым, кто смеет выносить свой вердикт. Но вы-то не зеркало! Вы — либо тот, кто принимает чужие вердикты, либо Вершитель, который выносит свои. Поэтому вопрос о том, какую истину считать единственно верной, на чью сторону перейти — к «черным» или «белым», — отпадает. Теперь вы сами можете определять для себя свою истину: *я так постановил, потому что я — Вершитель своей реальности*. И это будет работать, потому что в вашем распоряжении пространство вариантов и дуальное зеркало — все, что необходимо для воплощения задуманного в действительность.

Так все просто, не правда ли? Условие лишь одно: вы и впрямь должны иметь дерзость воспользоваться своим правом. Дело в том, что если вы испытываете сомнения или угрызения совести, значит, ваш вердикт теряет силу и вы превращаетесь из законотворца в подсудимого. Сомневаясь, вы в любом случае будете действовать неправильно. *Дело не в том, насколько правильно вы думаете и поступаете, а в том, насколько вы уверены в своей правоте*. Поэтому нужно хорошо осознать все это, привыкнуть, чтобы душа и разум слились в единстве. Объяснение у вас есть, осталось превратить осведомленность в знание. Каким образом? На своем опыте. Действуйте и убеждайтесь.

Нельзя только допускать, чтобы воля Вершителя превратилась в диктат разума. Вердикт имеет силу лишь в том случае, если душа и разум едины. Кто не слушает голос своего сердца, тот не *вершит*, а *совершает ошибки*. Повсюду можно встретить людей, которые что-то делают из рук вон плохо. Например: ни слуха, ни голоса, но петь обожает. Иногда встречаются и явные бездарности, убежденные в том, что они — звезды, однако успех к ним так и не приходит. Почему же не действует их вердикт? Потому что в душе они сознают, что на самом деле все получается плохо, но их разум не хочет с этим смириться, вот и старается изо всех сил доказать обратное. Бездарностей, как таковых, не существует — это те, кто занимается не своим делом, идет по чужой тропе.

Третий дар предоставляет очень много преимуществ. Право выносить свой вердикт — это свобода от гнетущих обстоятельств, от всего, что омрачает вашу жизнь и создает препятствия на пути к цели. Это поможет вам обрести спокойную уверенность. *Мой мир заботится обо мне, а я обладаю такой силой, что позволяю себе слабость принять эту заботу.*

С того момента, как вы взяли свое право выносить вердикт, что является для вашего мира хорошим или плохим, правильным или неправильным, вы можете отбросить любые суждения, которые навязывают вам извне, в том числе и сам Трансерфинг. Лишь бы вы не испытывали при этом сомнений, колебаний и угрызений совести и ваш вердикт не причинял кому-нибудь вреда.

Наконец, мне осталось сказать последнее. В пространстве вариантов есть все, и все, чего вы желаете душой и разумом, — ваше. Но вам следует знать, что на пороге у Вечности стоит Привратник — абсолютный закон, охраняющий доступ ко всему, что там находится. Этот неумолимый страж впускает только тех, кто имеет дерзость воспользоваться своим правом Вершителя. Пропуском послужит ваш вердикт: я могу и достоин, потому что так решил. *Я не хочу и не надеюсь — я намерен.* Возьмите же свое право, и Привратник распахнет перед вами врата в Вечность.

Резюме

Зашлакованность организма, избыточные потенциалы и нереализованные намерения снижают энергетику.

Для того чтобы освободить энергетические ресурсы, необходимо либо выбросить часть потенциальных намерений, либо запустить их реализацию.

Для того чтобы энергия работала, требуется концентрация на конечной цели.

Концентрация — это не напряжение, а сосредоточенность.

Приучайте себя думать о том, что делаете в данный момент.

Необходимо систематически фиксировать внимание на целевом слайде.

Прекратить оправдываться.

Прекратить всякие попытки подтверждения своей значимости.

Поддерживать амальгаму и соблюдать зеркальные принципы.

Для того чтобы снизить поляризацию, необходимо ослабить перетянутые спицы.

Приемы управления реальностью: целевой слайд, визуализация процесса, энергетические потоки, фрэйм, взрывная волна, внешняя сфера, приведение декораций, целевая амальгама, фиксация намерения, интеграция.

Предпочтительным лично для вас является прием, который, как вам кажется, получается лучше всего.

Все делайте так, как вам удобно.

Регулярность практики — главное условие успеха.

Вам необходимо выбраться из зеркала.

Получив базовые знания, изменить направление намерения с «получать» на «создавать».

Не изобретать идею, а уметь распознать ее.

Выходя из отправной точки, двигаться по течению вариантов.

Взять свое право быть правым.

Выйти из строя и вынести свой вердикт — воспользоваться правом Вершителя.

Я так постановил, потому что я — Вершитель своей реальности.

В ГОСТЯХ У ВЕЧНОСТИ

Дорогой Читатель!

Наше путешествие в этот удивительный мир дуального зеркала подошло к концу. Вы познакомились с очень древним Знанием. Оно существовало всегда и передавалось из поколения в поколение в разных интерпретациях. Какими бы замысловатыми ни были трактовки, суть лежит на поверхности и выглядит очень просто: вы стоите перед зеркалом, в котором отражается образ ваших мыслей. Зеркальный эффект порождает иллюзию, будто внешний мир существует независимо и не поддается управлению. Но стоит лишь освободиться от наваждения, и реальность начинает повиноваться.

Прикоснувшись к этой поразительно явной тайне, вы побывали в гостях у Вечности. Теперь вы знаете: туда можно всегда вернуться и взять все, что угодно душе и разуму. Привратник пропустит вас — только предъявите свой вердикт. За этими вратами вас ждет мир, где невозможное становится возможным.

Не хочу и не надеюсь, но желаю вам прежде всего иметь дерзость Вершителя, и пусть ваши яблоки упадут в небо!

СЛОВАРЬ ТЕРМИНОВ

Важность

Важность возникает там, где чему-то придается излишне большое значение. Это избыточный потенциал в чистом виде, при устранении которого равновесные силы формируют проблемы для того, кто этот потенциал создает. Существует два типа важности: *внутренняя* и *внешняя*.

Внутренняя, или собственная важность, проявляется как переоценка своих достоинств или недостатков. Формула внутренней важности звучит так: «я важная персона», или «я выполняю важную работу». Когда стрелка важности зашкаливает, за дело берутся равновесные силы — и «важная птица» получает щелчок по носу. Того, кто «выполняет важную работу», тоже ждет разочарование: либо работа будет никому не нужна, либо будет выполнена очень плохо. Существует еще обратная сторона, а именно, принижение своих достоинств, самоуничижение. Величина избыточного потенциала в обоих случаях одинакова, разница только в знаках.

Внешняя важность также искусственно создается человеком, когда он придает слишком большое значение объекту или событию внешнего мира. Формула внешней важности: «для меня большое значение имеет то-то», или «для меня очень важно сделать то-то». При этом создается избыточный потенциал, и все дело будет испорчено. Представьте, что вам необходимо пройти по бревну, лежащему на земле. Нет ничего проще. А теперь вы должны пройти по тому же бревну, перекинутому через крыши двух высотных домов. Это для вас очень важно, и вам не удастся убедить себя в обратном.

Волна удачи

Волна удачи образуется как скопление благоприятных для вас линий жизни. В пространстве вариантов есть все, и в том числе вот такие золотые жилы. Если вы попали на крайнюю линию такой неоднородности и поймали удачу, вы можете по инерции скользить на другие линии скопления, где следуют новые счастливые обстоятельства. Но если за первым успехом вновь пошла черная полоса, значит, вас зацепил деструктивный маятник и увел в сторону от волны удачи.

Выбор

Трансерфинг предлагает принципиально иной подход к достижению целей. Человек делает *выбор*, словно заказ в ресторане, не заботясь о средствах достижения. В итоге цель реализуется по большей части сама, независимо от прямых действий заказчика. Ваши желания не исполнятся. Ваши мечты не сбудутся. Но ваш выбор — это непреложный закон, и он будет неизбежно реализован. Суть выбора невозможно объяснить в двух словах. Весь Трансерфинг о том, что такое выбор и как его делать.

Единство души и разума

Разум имеет волю, но не способен управлять внешнем намерением. Душа способна ощутить свою тождественность с внешним намерением, но не имеет воли. Она летает в пространстве вариантов, как неуправляемый бумажный змей. Для того чтобы подчинить воле внешнее намерение, необходимо добиться *единства души и разума*. Это состояние, в котором чувства души и мысли разума сливаются воедино. Например, когда человек наполнен радостным вдохновением, его душа «поет», а разум «удовлетворенно потирает руки». В таком состоянии человек способен творить. Но бывает, что душа и разум находят единство в беспокойстве, страхах и неприятии. Тогда сбываются худшие ожидания. Наконец, когда здравый рассудок твердит одно, а сердце противится, это значит, что душа и разум находятся в разладе.

Загадка Смотрителя

«Каждый человек может обрести свободу выбирать все, что захочет. Как получить эту свободу?» Человек не знает о том, что может не добиваться, а просто *получать* желаемое. Звучит совершенно невероятно, но тем не менее это действительно так. Ответ на эту загадку вы узнаете, только прочитав всю книгу «Трансерфинг реальности» до конца. Не пытайтесь сразу заглянуть в последнюю главу, потому что ответ вам будет непонятен.

Знаки

Путеводными знаками являются те, которые указывают на грядущий поворот течения вариантов. Если надвигается нечто, способное оказать существенное влияние на ход событий, появляется знак, сигнализирующий об этом. Когда течение вариантов делает поворот, вы переходите на другую линию жизни. Каждая линия более-менее однородна по своим качествам. Поток в течении вариантов может пересекать разные линии. Линии жизни отличаются друг от друга своими параметрами. Перемены могут быть незначительными, но разница все же ощущается. Вот эту качественную разницу вы и подмечаете сознательно или подсознательно: будто что-то не так.

Путеводные знаки появляются только в том случае, когда начинается переход на другие линии жизни. Отдельные явления вы можете не заметить. Например, ворона каркнула, а вы не обратили внимания. Вы не почувствовали качественной разницы, значит, все еще находитесь на прежней линии. Но если что-то в явлении вас насторожило, значит, это знак. Знак отличается от обычного явления тем, что он всегда сигнализирует о начавшемся переходе на существенно отличную линию жизни.

Избыточный потенциал

Избыточный потенциал — это напряженность, локальное возмущение в равномерном энергетическом поле. Такая неоднородность создается мысленной энергией, когда какому-нибудь объекту придается избыточно важное значение. Например, желание — это избыточный потенциал, поскольку оно стремится притянуть вожделенный предмет туда, где его нет. Томительное желание иметь то, чего у вас нет, создает энергетический «перепад давления», который порождает ветер равновесных сил. Другие примеры избыточных потенциалов: недовольство, осуждение, восхищение, преклонение, идеализация, переоценка, презрение, тщеславие; чувства превосходства, вины, неполноценности.

Индуцированный переход

Катастрофы, стихийные бедствия, вооруженные конфликты, экономические кризисы развиваются по спирали. Сначала идет зарождение, потом раскрутка, все больше нагнетается напряженность, затем кульминация, эмоции уже пылают вовсю и, наконец, развязка — вся энергия распыляется в пространство, и наступает временное затишье. Примерно так же работает водоворот.

Внимание группы людей попадает в *петлю захвата маятника*, который начинает все сильнее раскачиваться, увлекая за собой на бедственные линии жизни. Человек откликается на первый толчок маятника — например, реагирует на негативное событие, принимает участие в завязке и оказывается в зоне действия спирали, которая раскручивается и затягивает, подобно воронке.

Явление затягивания в воронку определяется как индуцированный переход на линию жизни, где человек становится жертвой. Его отклик на толчок маятника и последующая взаимная подпитка энергией колебаний индуцирует переход на линию жизни, близкую по частоте к колебаниям маятника. В результате негативное событие включается в слой мира данного человека.

Координация важности

Не придавайте *ничему* избыточно важного значения. Ваша важность нужна не вам, а маятникам. Маятники управляют людьми, как марионетками, с помощью *нитей важности*. Человек боится отпустить нити важности, потому что находится во власти зависимости, которая создает иллюзию опоры и уверенности.

Уверенность представляет собой тот же избыточный потенциал неуверенности только с обратным знаком. Осознанность и намерение позволяют проигнорировать игру маятников и добиться своего без борьбы. А когда есть свобода без борьбы, тогда уверенность не нужна. Если я свободен от важности, мне нечего защищать и нечего завоевывать — я просто спокойно иду и выбираю свое.

Чтобы освободиться от маятников, необходимо отказаться от внутренней и внешней важности. Проблемы и препятствия на пути к цели также возникают как следствие избыточных потенциалов важности. Препятствия держатся на фундаменте важности. Если намеренно сбросить важность, препятствия рухнут сами.

Координация намерения

Реализация худших ожиданий у людей, склонных к негативизму, подтверждает, что человек способен оказывать влияние на ход событий. Каждое событие на линии жизни имеет два *ответвления* в пространстве вариантов — в благоприятную и в неблагоприятную сторону. Всякий раз, сталкиваясь с тем или иным событием, вы делаете выбор, как к нему относиться. Если вы рассматриваете событие как позитивное, вы попадаете на благоприятное ответвление линии жизни. Однако склонность к негативизму заставляет вас выражать недовольство и выбирать неблагоприятное ответвление.

Как только вас что-то раздосадовало, следом идет новая неприятность. Вот так и получается, что «беда никогда не приходит одна». Но череда неприятностей следует не за самой бедой, а за вашим отношением к ней. Закономерность формируется вашим выбором, который вы делаете на развилке. Анализируя степень своей склонности к негативизму, вы можете составить себе представление, куда вас уводит за всю жизнь такая вот вереница негативных ответвлений.

Принцип координации намерения звучит следующим образом. *Если вы вознамеритесь рассматривать кажущееся негативным изменение в сценарии как позитивное, тогда все именно так и будет.* Руководствуясь этим принципом, вы сможете добиться такого же успеха в позитивном, какого негативисты добиваются в своих худших ожиданиях.

Линия жизни

Жизнь человека, как и любое другое движение материи, представляет собой цепочку причин и следствий. Следствие в пространстве вариантов всегда расположено близко по отношению к своей причине. Как одно вытекает из другого, так и близлежащие секторы пространства выстраиваются в линии жизни. Сценарии и декорации секторов на одной линии жизни более-менее однородны по своему качеству. Жизнь человека размеренно течет по своей линии до тех пор, пока не происходит событие, существенно меняющее сценарий и декорации. Тогда судьба делает поворот и переходит на другую линию жизни. Вы всегда находитесь на тех линиях, параметрам которых удовлетворяет ваше мысленное излучение. Изменив свое отношение к миру, то есть свой мыслеобраз, вы переходите на иную линию жизни, с другими вариантами развития событий.

Материальная реализация

Информационная структура пространства вариантов при определенных условиях может материализоваться. Всякая мысль, так же как и сектор пространства, имеет определенные параметры. Мысленное излучение, «подсвечивая» соответствующий сектор, реализует его вариант. Таким образом мысли оказывают непосредственное влияние на ход событий.

Пространство вариантов служит шаблоном, оно определяет форму и траекторию движения материи. Материальная реализация движется в пространстве и времени, но варианты остаются на месте и существуют вечно. Каждое живое существо своим мысленным излучением формирует слой своего мира. Наш мир населяет множество живых организмов, и каждый вносит свой вклад в формирование реальности.

Маятник

Мысленная энергия материальна, и она не исчезает бесследно. Когда группы людей начинают думать в одном направлении, их «мысленные волны» накладываются друг на друга, и в океане энергии создаются невидимые, но реальные энергоинформационные структуры — маятники. Эти структуры начинают развиваться самостоятельно и подчиняют людей своим законам. Человек, попавший под влияние деструктивного маятника, теряет свободу — ему приходится быть винтиком в большом механизме.

Маятник «раскачивается» тем сильнее, чем больше людей — *приверженцев* — питает его своей энергией. У каждого маятника своя характерная частота колебаний. Например, качели можно раскачать, только прилагая усилия с определенной частотой. Эта частота называется резонансной. Если количество приверженцев маятника уменьшается, его колебания угасают. Когда приверженцев совсем не останется, маятник останавливается и как сущность умирает.

Чтобы выкачать из человека энергию, маятники цепляются за его чувства и реакции: негодование, недовольство, ненависть, раздражение, беспокойство, волнение, подавленность, смятение, отчаяние, страх, жалость, привязанность, восхищение, умиление, идеализация, преклонение, восторг, разочарование, гордость, чванство, презрение, отвращение, обида, чувство долга, чувство вины и так далее.

Главная опасность для человека, поддавшегося влиянию деструктивного маятника, состоит в том, что маятник уводит свою жертву в сторону от тех линий жизни, где человек обретет свое счастье. Необходимо освободиться от навязанных целей, в борьбе за которые человек уходит все дальше от своей стези.

Маятник, по своей сути, является эгрегором, но этим далеко не все сказано. Понятие «эгрегор» не отражает весь комплекс нюансов взаимодействия человека с энергоинформационными сущностями.

Намерение

Намерение можно приблизительно определить как *решимость иметь и дей-*

ствовать. Реализуется не желание, а намерение. Пожелайте поднять руку. Желание оформлено в ваших мыслях: вы отдаете себе отчет, что хотите поднять руку. Желание поднимает руку? Нет, само по себе желание не производит никакого действия. Рука поднимается только тогда, когда мысли о желании отработали и осталась одна решимость действовать. Может, решимость действовать поднимает руку? Тоже нет. Вы приняли окончательное решение, что поднимете руку, но она еще не двигается. Что же поднимает руку? Как определить то, что следует за решимостью?

Вот здесь проявляется беспомощность разума дать вразумительное объяснение, чем же является намерение. Наше определение намерения как решимости иметь и действовать демонстрирует лишь прелюдию к силе, которая, собственно, и осуществляет действие. Остается просто констатировать факт, что рука поднимается не желанием и не решимостью, а намерением.

Намерение разделяется на *внутреннее* и *внешнее*. Внутреннее намерение подразумевает активное воздействие на окружающий мир — это *решимость действовать*. Внешнее намерение — это *решимость иметь,* когда мир сам подчиняется воле человека. Внутреннее намерение — это концентрация внимания на процессе своего движения к цели. Внешнее — концентрация внимания на том, как цель реализуется сама. Внутренним намерением цель *достигается*, а внешним — *выбирается*. Все, что связано с магией и паранормальными явлениями, относится к области внешнего намерения. Все, что может быть достигнуто в рамках обыденного мировоззрения, достигается силой внутреннего намерения.

Отношения зависимости

Отношения зависимости определяются постановкой условия типа: «если ты так, тогда я так». «Если ты меня любишь, значит, бросишь все и пойдешь со мной на край света. Если ты не женишься на мне (не выйдешь за меня), значит, ты меня не любишь. Если ты меня хвалишь, тогда я с тобой дружу. Если ты не отдашь мне свою лопатку, я прогоню тебя из песочницы».

Когда любовь переходит в отношения зависимости, неизбежно возникает *поляризация* и равновесие нарушается. Безусловная любовь — это любовь без права обладания, восхищение без поклонения. Другими словами, такое чувство не создает отношений зависимости между тем, кто любит, и предметом его любви.

Равновесие нарушается и в том случае, если одно сравнивается с другим или противопоставляется: «Мы такие, а они — другие!» Например, национальная гордость: в сравнении с какими нациями? Чувство неполноценности: по сравнению с кем? Или гордость за себя: в сравнении с кем?

Где есть противопоставление, там неизбежно включаются в работу равновесные силы. Их действие направлено либо на то, чтобы «растащить» субъекты противоречия, либо соединить — к обоюдному согласию, или для столкновения. Если поляризация создана вами, действие сил будет направлено прежде всего против вас.

Поляризация

Избыточные потенциалы возникают, когда каким-либо качествам придается излишне большое значение. А отношения зависимости складываются между людьми в том случае, если они начинают друг с другом себя сравнивать, противопоставлять и ставить условия типа: «если ты так, тогда я так». Сам по себе избыточный потенциал не так страшен до тех пор, пока искаженная оценка существует безотносительно, сама по себе. Но как только искусственно завышенная оценка одного объекта ставится в сравнительное отношение с другим, возникает *поляризация*, порождающая *ветер равновесных сил*. Равновесные силы стремятся устранить возникшую поляризацию, и действие их в большинстве случаев направлено против того, кто эту поляризацию создал.

Пространство вариантов

Пространство вариантов представляет собой *информационную структуру*. Это бесконечное *поле информации*, содержащее любые *варианты* всех событий, которые могут произойти. Можно сказать, в пространстве вариантов есть все, что было, есть и будет. Пространство вариантов служит шаблоном, координатной сеткой движения материи в пространстве и времени. Как прошлое, так и будущее там хранится стационарно, словно на киноленте, а эффект времени проявляется лишь в результате перемещения отдельного кадра, в котором высвечивается настоящее.

Мир существует одновременно в двух формах: физическая реальность, которую можно потрогать руками, и метафизическое пространство вариантов, лежащее за пределами восприятия, но не менее объективное. Хотя доступ к этому полю информации в принципе возможен. Именно оттуда берутся интуитивные знания и ясновидение. Разум не способен создать ничего принципиально нового. Он лишь может собрать новую версию дома из старых кубиков. Мозг хранит не саму информацию, а некое подобие адресов к информации в пространстве вариантов. Все научные открытия и шедевры искусства разум получает из пространства вариантов через посредство души.

Сны не являются иллюзиями в обычном понимании этого слова. Разум не воображает свои сны — он их действительно видит. То, что мы наблюдаем в реальности, — это реализованные варианты. Во сне мы способны видеть то, что не было реализовано, то есть пьесы с виртуальными сценариями и декорациями. Сны показывают нам то, что могло бы произойти в прошлом или будущем. Сновидение — это путешествие души в пространстве вариантов.

Равновесные силы

Везде, где есть избыточный потенциал, возникают равновесные силы, направленные на его устранение. Потенциал создается мысленной энергией человека, когда какому-нибудь объекту он придает избыточно важное значение.

Например, сравним две ситуации: вот вы стоите на полу в своем доме, а вот — на краю пропасти. В первом случае вас это нисколько не волнует. Во втором — ситуация имеет для вас очень большое значение: сделай вы одно неосторожное движение, и случится непоправимое. На энергетическом плане тот факт, что вы просто стоите, имеет одинаковое значение как в первом, так и во втором случае. Но, стоя над пропастью, вы своим страхом нагнетаете напряженность, создаете неоднородность в энергетическом поле. В результате возникают равновесные силы, направленные на устранение этой неоднородности. Вы даже можете реально ощутить их действие: с одной стороны, необъяснимая сила притягивает вас вниз, а с другой — тянет отступить подальше от края. Ведь для того чтобы устранить избыточный потенциал вашего страха, равновесным силам требуется либо оттащить вас от края, либо сбросить вниз и покончить с этим. Вот это их действие вы и ощущаете.

Действия равновесных сил по устранению избыточных потенциалов порождают львиную долю проблем. Коварство их заключается в том, что человек зачастую получает результат, прямо противоположный намерению. При этом совершенно непонятно, что же происходит. Отсюда возникает ощущение, что действует какая-то необъяснимая, злая сила, своего рода «закон подлости».

Сектор пространства вариантов

В каждой точке пространства существует свой *вариант* того или иного события. Для облегчения понимания будем считать, что вариант состоит из *сценария* и *декораций*. Декорации — это внешний вид или форма проявления, а сценарий — путь, по которому движется материя. Для удобства можно разбить пространство вариантов на секторы. Каждый сектор имеет свой сценарий и декорации. Чем больше расстояние между секторами, тем сильнее различия в сценариях и декорациях. Судьба человека также представлена множеством вариантов. Теоретически не существует никаких ограничений на возможные повороты судьбы человека, поскольку пространство вариантов бесконечно.

Слайд

Наше представление о себе и об окружающем мире зачастую далеко от истины. Искажение вносят наши *слайды*. Например, вас беспокоят некоторые ваши недостатки и вы из-за этого испытываете чувство неполноценности, потому что вам кажется, что другим это тоже не нравится и они это не одобряют. Тогда, общаясь с людьми, вы вставляете в свой «проектор» слайд комплекса неполноценности и видите все в искаженном свете.

Слайд — это искаженная картина действительности в вашей голове. Негативный слайд, как правило, порождает *единство души и разума*, а потому воплощается в реальность. Наши худшие ожидания сбываются. Негативные слайды можно преобразовать в позитивные и заставить работать на себя. Если вы намеренно создаете позитивный слайд, он способен удивительным образом трансформировать слой вашего мира. Целевой слайд — это воображаемая картина о том, как будто цель уже достигнута. Систематическая визуализация слайда приводит к материализации соответствующего сектора пространства вариантов.

Слой мира

Каждое живое существо энергией мыслей материализует определенный сектор пространства вариантов и создает слой своего мира. Все эти слои накладываются друг на друга, и таким образом каждое существо вносит свою лепту в формирование реальности.

Человек своим мироощущением создает индивидуальный слой мира — отдельную реальность. Эта реальность, в зависимости от отношения человека, приобретает тот или иной оттенок. Если выражаться образно, там устанавливаются определенные «погодные условия»: утренняя свежесть в сиянии солнца или пасмурно и льет дождь, а бывает, что свирепствует ураган, либо вообще творится природная катастрофа.

Индивидуальная реальность формируется двумя способами: физическим и метафизическим. Другими словами, свой мир человек строит своими действиями и мыслями. Мыслеобразы здесь играют главенствующую роль, поскольку создают значительную долю материальных проблем, с которыми человеку приходится бороться большую часть времени. Трансерфинг имеет дело с исключительно метафизическим аспектом.

Течение вариантов

Информация лежит в пространстве вариантов стационарно, в виде матрицы. Структура информации организована в связанные друг с другом цепочки. Причинно-следственные связи порождают *течение вариантов*.

Беспокойный разум постоянно испытывает на себе толчки маятников и берется решать все проблемы, пытаясь держать ситуацию под контролем. Волевые решения разума — это в большинстве случаев бессмысленные шлепки руками по воде. Большинство проблем, особенно мелких, решаются сами собой, если не мешать течению вариантов.

Главная причина, по которой не следует активно сопротивляться течению, состоит в том, что при этом бесполезно или во вред затрачивается масса энергии. Течение идет по пути наименьшего сопротивления, а потому содержит в себе наиболее эффективные и рациональные решения проблем. Сопротивление течению, напротив, порождает массу новых проблем.

Мощный интеллект разума ни к чему, если решение уже существует в пространстве вариантов. Если не лезть в дебри и не мешать течению вариантов, решение придет само, причем самое оптимальное. Оптимальность уже заложена в структуре поля информации. В пространстве вариантов есть все, но с большей вероятностью реализуются наименее энергоемкие варианты. Природа не тратит энергию впустую.

Трансерфинг

Слово «*Трансерфинг*» не я придумал, оно свалилось на меня оттуда же, откуда взялись все остальные термины и вообще все содержание книги. Я и сам до некоторых пор не понимал его значения. Здесь даже ассоциации непонятно как приспособить. Значение этого слова можно трактовать как «скольжение через пространство вариантов», или «трансформация потенциально возможного варианта в реальность», или «переход через линии жизни». Но в общем смысле, если вы занимаетесь Трансерфингом, значит, вы балансируете на волне удачи. Произносится Трансерфинг так же, как пишется. Если кому-то нравится выговаривать его на английский манер — на здоровье. Следует только иметь в виду, что звука *ё* в английском языке не существует.

Фрейлинг

Фрейлинг — это эффективная технология человеческих отношений, которая является составной частью Трансерфинга. Главный принцип Фрейлинга можно сформулировать следующим образом. *Откажитесь от намерения получить, замените его намерением дать, и вы получите то, от чего отказались.*

Действие этого принципа основано на том, что ваше внешнее намерение использует внутреннее намерение партнера, не ущемляя его интересов. В итоге вы получаете от человека то, чего не могли добиться обычными методами внутреннего намерения. Руководствуясь этим принципом, вы достигнете впечатляющих результатов в личном и деловом общении.

Цели и двери

У каждого человека есть своя уникальная *стезя*, на которой он обретет подлинное счастье в этой жизни. Маятники навязывают человеку чуждые ему цели, которые манят своей престижностью и недоступностью. Гоняясь за ложными целями, вы либо ничего не добьетесь, либо, добившись, поймете, что вам это не нужно.

Ваша цель превратит вашу жизнь в праздник. Достижение Вашей цели притянет за собой исполнение всех остальных желаний, причем результаты превзойдут все ожидания. Ваша дверь является тем путем, который приведет к Вашей цели.

Если вы идете к Вашей цели через Вашу дверь, никто и ничто не сможет вам помешать, потому что ключ вашей души идеально подходит к замку Вашей стези. Ваше у вас никто не отнимет. Так что проблем с достижением Вашей цели не будет. Проблема лишь в том, чтобы найти Вашу цель и Вашу дверь. Трансерфинг научит вас, как это делать.

Научно-популярное издание

Зеланд Вадим
ТРАНСЕРФИНГ РЕАЛЬНОСТИ
Ступень V: Яблоки падают в небо

Подписано в печать 21.07.2011.
Формат 84×108^1/$_{32}$. Печ. л. 7. Доп. тираж 4000 экз. Заказ № 84.04

Налоговая льгота — общероссийский классификатор продукции ОК-005-93, том 2;
953130 — литература по философским наукам, социологии, психологии.

Издательская группа «Весь»
197101, Санкт-Петербург, а/я 518.
E-mail: info@vesbook.ru

Посетите наш сайт: http://www.vesbook.ru

Вы можете заказать наши книги:
в России («Книга — почтой»)
по адресу: 197101, Санкт-Петербург, а/я 518;
по телефону: 8-800-333-00-76
(ПО РОССИИ ЗВОНКИ БЕСПЛАТНЫЕ)
ЦЕНЫ ОТ ИЗДАТЕЛЬСТВА;
на сайтах: www.vesbook.ru, http://точка24.рф
в Германии
+ 49 (0) 721 183 1212.
+ 49 (0) 721 183 1213.
atlant.book@t-online.de
www.atlant-shop.com
в Белоруссии
+10 (37517) 242 0752.
+10 (37517) 238 3852
в Украине
магазин EZOP.UA
+38 (044) 578 2454
www.ezop.ua

Отпечатано с готовых диапозитивов
в типографии ООО «Северо-Западный печатный двор»
188300, г. Гатчина, ул. Железнодорожная, д.45, лит. Б

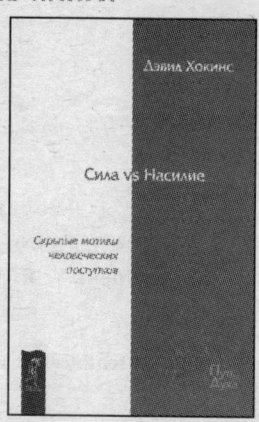

II

ИСТОРИЯ И МЕТОДОЛОГИЯ

В основу данной работы положены двадцатилетние исследования, в ходе которых были проведены миллионы измерений на тысячах испытуемых — всех возрастов, типов личности, общественных положений и профессий. Согласно исходному замыслу, в исследовании применялись клинические методы, поэтому его результаты имеют в большей степени практический характер. Поскольку метод испытаний может быть применен в любых сферах человеческой деятельности, мы успешно провели измерения в отношении литературы, архитектуры, искусства, науки, мировых событий и человеческих взаимоотношений. Пробное пространство для получения наших данных охватывает всю историю человечества на протяжении его существования.

В том, что касается умственного развития, испытуемые делились на людей, которых общество называет нормальными, и пациентов психиатрической лечебницы. Исследования проводились в Канаде, США, Мексике, на территории Южной Америки и Северной Европы. В них участвовали представители всех национальностей, этнических групп и религий, от детей до стариков в возрасте девяноста лет и старше. Исследования охватывали широкий спектр определения физического и умственного здоровья. Исследования проводились индивидуально и в группах с множеством разных испытателей, а также группой испытателей. Но во всех случаях без исключения результаты были идентичными и полностью воспроизводимыми, что отвечает основному требованию научного метода — точной воспроизводимости эксперимента [33].

Испытуемые выбирались непроизвольно и подвергались испытаниям, находясь в различных условиях: на вершине гор и на берегу моря, во время праздника и в процессе повседневной работы, в моменты радости и печали. Ни одно из этих обстоятельств не повлияло на результаты испытаний, которые были объявлены устойчивыми независимо от влияния внешних факторов. Единственным исключением можно считать методологию, выбранную для проведения испытаний. Поскольку это имеет очень важное значение, давайте обратимся к более подробному описанию метода испытаний.

ИСТОРИЧЕСКАЯ ПОДОПЛЕКА

В 1971 году три физиотерапевта опубликовали самое полное исследование о мышечных реакциях [34]. Доктор Георг Гудхарт из Детройта, штат Мичиган, в своей медицинской практике изучал методы исследования мышечных реакций и сделал удивительное открытие о том, что сила или слабость каждой мышцы связана со здоровьем или патологией соответствующего ей конкретного органа тела [35]. Кроме того, он определил, что каждая мышца связана с акупунктурным меридианом, и соотнес результаты своих исследований с работой врача Феликса Манна о значении акупунктурных меридианов в медицине [36].

К 1976 году книга Гудхарта по прикладной кинезиологии выдержала двенадцать изданий; он начал обучать своему методу коллег и ежемесячно печатал отчеты о своих исследованиях. Его работа была подхвачена другими специалистами, и это привело к созданию Международного университета кинезиологии, многие члены которого также являлись сотрудниками Академии профилактической медицины. Подробное описание развития Поля было предпринято Дэвидом Уолтером в его исчерпывающей работе по прикладной кинезиологии, опубликованной в 1976 году [37].

Самым удивительным открытием кинезиологии первоначально было очевидное доказательство того, что мышцы внезапно слабеют, если тело подвергается воздействию пагубных факторов. Например, если пациент с гипогликемией кладет сахар на язык, сила дельтовидной мышцы (эта мышца обычно используется в качестве индикатора) мгновенно уменьшается. Также было обнаружено, что вещества, обладающие лечебным воздействием, придают мышцам силу и выносливость.

Поскольку слабость любой конкретной мышцы свидетельствует о наличии патологического процесса в соответствующем органе (что подтверждается акупунктурной диагностикой, а также физическим осмотром и лабораторными исследованиями), результаты исследования могут с успехом применяться в качестве медицинского средства обнаружения заболевания. Тысячи профессионалов начали использовать этот метод, и быстро растущая база данных свидетельствует о том, что кинезиология может стать важной и надежной диагностической техникой, которая способна осуществлять точный контроль за реакцией пациента на лечение.

Данный метод стал широко применяться в профессиональной среде в различных областях знаний, и хотя так и не приобрел популярности в традиционной медицине, он активно использовался врачами, практикующими холистический подход в исцелении пациента. Одним из таких врачей был доктор Джон Даймонд, психиатр, который стал применять кинезиологию в диагностике и лечении психически больных людей. Он назвал свой расширенный подход в использовании кинезиологии «Поведенческой кинезиологией» [38].

В то время как прочие исследователи пытались найти доказательства пригодности этого метода в диагностике аллергий, пищевых расстройств и реакции на лечение, доктор Даймонд использовал данную технику для изучения целительного или неблаготворного влияния множества психологических стимулов, например художественных форм, музыки, выражения лица, речевой модуляции и эмоционального стресса. Он был превосходным учителем, и его семинары привлекали внимание тысяч специалистов, которые затем возвращались к собственной практике с новым интересом и любопытством, узнав о возможных применениях этого метода.

В дополнение к своей универсальности данный метод очень быстр, прост, легок для выполнения и весьма убедителен; все исследователи подтвердили абсолютную воспроизводимость результатов испытаний. Например, искусственный заменитель сахара делал каждого испытуемого слабее независимо от того, был ли он положен на язык, находился в упаковке, расположенной вблизи солнечного сплетения, или же был спрятан в плотный конверт, содержимое которого было неизвестно ни тому, кто проводил эксперимент, ни самому испытуемому.

Самое поразительное — то, что реакция тела не зависит от влияния разума. Большинство профессионалов провели свою собственную проверочную исследовательскую работу, поместив различные вещества в плотные пронумерованные конверты и попросив незаинтересованного человека провести испытание с третьим лицом. Их совместным выводом стало то, что тело на самом деле давало очень точную реакцию, даже если разум не принимал участия в испытании.

Надежность результатов исследования никогда не переставала удивлять публику, пациентов и специалистов. Например, когда автор вел цикл лекций, где присутствовала тысяча людей, в аудитории раздавались пятьсот конвертов с искусственным заменителем сахара. В таких же точно конвертах оставшаяся часть слушателей получала витамин С органического происхождения. Затем аудитория разделялась, чтобы люди могли протестировать друг друга. Когда конверты вскрывались, публику всякий раз охватывали удивление и восторг, когда люди видели, что всеобщей реакцией на искусственный заменитель сахара была слабость, а витамин С вызывал прилив сил. Многие семьи в стране изменили свои пищевые предпочтения благодаря этому простому примеру.

В начале 1970-х годов медицина в целом и психиатрия в частности активно сопротивлялись — вплоть до откровенной враждебности — идее о том, что питание напрямую связано с общим физическим состоянием организма, не говоря уже об эмоциональном здоровье или работе головного мозга. Публикация книги *«Ортомолекулярная психиатрия»* автором данной работы совместно с нобелевским лауреатом Лайнусом Полингом была хорошо встречена широкой публикой, но не медицинским сообществом [39]. (Довольно интересно то, что двадцать лет спустя концепции, представленные в этой книге, стали основами современного лечения психических заболеваний.)

Главной темой книги было то, что психические заболевания, например психоз, а также менее серьезные нарушения типа эмоционального расстройства, возникают в результате генетического влияния, включающего изменение биохимических реакций головного мозга, то есть определяются сдвигами в молекулярных процессах, которые могут быть устранены на молекулярном уровне. Маниакально-депрессивный синдром, шизофрения, алкоголизм и депрессия могут быть излечены не только с помощью медикаментов, но и благодаря правильному питанию. В 1973 году, когда была опубликована эта книга, представители традиционной психиатрии все еще были сосредоточены на использовании психоанализа, поэтому эта работа стала популярной в основном среди приверженцев холистической медицины. Предложенные методы лечения и его результаты часто проверялись с помощью кинезиологии.

Однако именно исследования доктора Даймонда, доказавшие, что тело мгновенно слабеет в ответ на нездоровую эмоциональную реакцию или умственное перенапряжение, оказали наибольшее влияние на медицину. Его усовершенствованный метод проверки мышечной реакции, который стал применяться большинством специалистов, использовался при проведении данного исследования на протяжении пятнадцати лет. Все специалисты и исследователи, включая автора этой работы, отмечают, что реакции испытуемых никоим образом не зависели от их системы взглядов, мнения, здравого смысла или логики. Также было установлено, что в случае ослабления мышечной реакции наблюдалось нарушение синхронизации полушарий головного мозга*.

---

* Это нарушение синхронизации было продемонстрировано Даймондом в Академии профилактической медицины в 1973 году.

МЕТОДИКА ИСПЫТАНИЙ

Для испытания необходимы двое. Один из них выступает в роли испытуемого и держит свою руку вытянутой параллельно полу. Второй нажимает двумя пальцами на запястье вытянутой руки и говорит: «Сопротивляйся». Испытуемый должен сопротивляться оказываемому на его руку давлению изо всех сил. Вот и все, что нужно сделать.

Утверждение может быть сделано любой стороной. В то время как испытуемый думает о нем, сила его руки проверяется путем давления на нее лицом, которое проводит эксперимент. Если ответ отрицательный, утверждение ложное или имеет оценку ниже 200 баллов (см. Карту Сознания, раздел «Результаты исследования и их интерпретация»), испытуемый «ослабнет». Если ответ положительный или выше уровня 200 баллов, он «станет сильным».

Для того чтобы убедиться в объективности данного метода, вы можете попросить испытуемого во время эксперимента сначала представить себе портрет Авраама Линкольна, а затем для сравнения портрет Адольфа Гитлера. Тот же самый результат вы получите, если будете думать о ком-то, кого вы любите, а затем о том, кого вы боитесь, ненавидите или о ком сожалеете.

После того как вы установите цифровую шкалу (см. ниже), вы можете определять оценку с помощью слов: «Этот предмет» (например, эта книга, организация, мотив этого человека и так далее) имеет оценку «выше 100 баллов», затем «выше 200 баллов», затем «выше 300 баллов» до тех пор, пока не получите отрицательный ответ. После этого вы можете уточнить вашу оценку: «Оценка выше 220 баллов? 225? 230?» и так далее. Испытатель и испытуемый могут поменяться местами, но получат те же самые результаты. Как только вы познакомитесь с этой методикой, вы сможете оценивать компании, кинофильмы, людей, исторические события или устанавливать причины текущих жизненных проблем.

Читатель заметит, что методика проверки состоит в использовании мышечной реакции для подтверждения правдивости или ошибочности *повествовательного предложения*. Если вопрос будет задан в иной форме, ответ может оказаться ненадежным. Также мы не можем получить достоверный ответ, если будем спрашивать о будущих событиях; только утверждения относительно текущих условий или событий могут снабдить нас непротиворечивой информацией.

Необходимо сохранять отстраненность во время испытания, чтобы избежать передачи положительных или отрицательных эмоций. Ответ будет более точным, если испытуемый закроет глаза; в помещении не должна звучать музыка.

Поскольку испытание обманчиво кажется слишком простым, будет лучше, если спрашивающий сначала убедится в его точности ради собственного спокойствия. Ответы могут быть проверены путем перекрестных вопросов. (Хотя любой человек, познакомившийся с этой методикой, думает о том, чтобы использовать пару уловок, позволяющих убедиться в ее надежности*.) Вскоре вы обнаружите, что все испытуемые дают один и тот же ответ, что им не нужно знать что-либо о предмете вопроса и что ответ всегда будет оставаться независимым от личного мнения испытуемого по поводу предложенного ему вопроса.

Перед тем, как начать испытание, возможно, вы захотите сначала проверить утверждение: «Я могу задать этот вопрос». Это схоже с вводом пароля для доступа к компьютерному терминалу, и здесь человек очень редко получает ответ «нет». В последнем случае он должен отказаться от этого вопроса либо попытаться установить причину полученного «нет».

---

* Кинезиологические испытания часто становятся причиной радикального изменения парадигмы сознания для приверженцев строгого материализма. Один из таких наблюдателей, ученый-психиатр, в первый раз попытался доказать, что эксперимент был подстроен. Когда ему это не удалось, он покинул помещение со словами: «Даже если это правда, я отказываюсь в нее верить».

Возможно, сейчас вопрошающий может испытать душевные страдания от ответа или его последствий*.

В данном исследовании испытуемых просили сосредоточиться на конкретной мысли, чувстве, ситуации, воспоминании, родственнике или жизненных обстоятельствах. Испытание часто проводилось в больших группах людей; в целях демонстрации мы сначала устанавливали базисную линию, прося испытуемых закрыть глаза и вспомнить моменты, когда они чувствовали злость, огорчение, ревность, депрессию, вину или страх; на этом этапе каждый человек начинал ощущать слабость. Затем мы просили их представить себе образ любимого человека или счастливое событие из жизни, и все чувствовали прилив сил; обычно по аудитории пробегал шорох удивления от полученных результатов.

Вторым этапом демонстрации испытания было то, что простое представление в воображении конкретного вещества давало ту же самую реакцию, что и в случае непосредственного контакта данного вещества с физическим телом. Например, мы показывали яблоко, выращенное с применением пестицидов, и просили аудиторию смотреть на это яблоко во время испытания; все становились слабее. Затем мы брали яблоко, выращенное на органических удобрениях без воздействия загрязняющих веществ, и по мере того, как участники смотрели на это яблоко, их силы начинали прибывать. Так как никто из испытуемых не догадывался о том, что это были за яблоки, и, кроме того, не имел ни малейшего понятия о сути эксперимента, надежность данного метода была совершенно доказана ко всеобщему удовлетворению [40].

Необходимо помнить о том, что люди по-разному воспринимают происходящее: некоторые основываются главным образом на своих ощущениях и чувствах, другие привыкли воспринимать информацию на слух, а третьи предпочитают визуальное восприятие. Поэтому в вопросах следует избегать фраз типа: «Как вы себя чувствуете?» — о человеке, ситуации

---

* Эта методика разрабатывалась в течение нескольких лет в ходе регулярных еженедельных экспериментов в Институте современных теоретических исследований в Седоне, штат Аризона, в 1983–1993 годы.

или событии, или: «Как это выглядит?» — или: «Как это звучит?» Обычно, если человек говорит: «Думайте о ситуации (человеке, месте, вещи или чувстве)», испытуемый интуитивно выбирает подходящий для себя способ восприятия*.

Иногда, порой даже в бессознательной попытке исказить свой ответ, испытуемые выбирают несвойственный для них способ обработки информации и, как следствие, дают неверный ответ. Когда экспериментатор получает подобный ответ, вопрос должен быть перефразирован. Например, пациент, который чувствует вину за свой гнев по отношению к матери, может представлять себе ее фотографию и демонстрировать сильную реакцию. Однако, если бы испытатель перефразировал свой вопрос и попросил бы пациента думать о своем отношении к матери, он бы моментально утратил свою силу.

Еще одно условие для поддержания чистоты эксперимента состоит в необходимости снять очки, особенно если у них металлическая оправа, и шляпу (синтетические материалы на голове делают слабее любого человека). На вытянутой руке испытуемого не должно быть ювелирных украшений, особенно кварцевых наручных часов. В случае неверного ответа последующее изучение ситуации должно в итоге помочь обнаружить причину случившегося — например, человек, проводящий испытание, может пользоваться духами, которые вызывают аллергию у испытуемого, что в результате приводит к неправильному ответу. Если экспериментатор постоянно сталкивается с неудачей в попытке получить точный ответ, нужно проверить воздействие его голоса на других испытуемых; у некоторых экспериментаторов голос передает их отрицательные эмоции, которые влияют на результаты эксперимента [41].

Еще один фактор, который следует принять во внимание в случае парадоксального ответа, состоит в определении временного кадра воспоминания или воображаемого образа. Если испытуемый думает о конкретном человеке и своих взаимоотношениях с ним, ответ будет зависеть от того периода

---

* Это документально подтверждено многими специалистами в области нейролингвистического программирования.

времени, к которому относится данное воспоминание или образ. Если человек вспоминает о детских взаимоотношениях со своим братом, его ответ может сильно отличаться от того ответа, который бы он дал, если бы подумал о том, как эти взаимоотношения складываются сегодня. Вопрос всегда должен сводиться к конкретной ситуации [42].

Еще одной причиной получения парадоксальных ответов является физическое состояние испытуемого, на которое влияет стресс или снижение функции вилочковой железы при воздействии негативного энергетического поля. Вилочковая железа выступает в роли основного регулятора акупунктурной энергетической системы тела, и, когда ее активность снижается, результаты испытания могут быть непредсказуемыми. Это можно легко исправить за несколько секунд с помощью простой техники, обнаруженной доктором Джоном Даймондом и названной им «постукивание по вилочковой железе». Вилочковая железа расположена прямо позади верхней части грудины. Сжатым кулаком ритмично постучите себя несколько раз по этому месту, одновременно улыбнувшись и подумав о ком-то, кого вы любите. При каждом постукивании произносите «ха-ха-ха». Теперь активность вашей вилочковой железы восстановлена, и результаты испытания вновь станут объективными*.

ИСПОЛЬЗОВАНИЕ МЕТОДА ИСПЫТАНИЙ В ИССЛЕДОВАНИИ

Только что описанный нами метод испытаний был рекомендован доктором Даймондом в его книге *Поведенческая кинезиология*. Единственным изменением, на которое мы пошли в нашем исследовании, было соотнесение полученных ответов с логарифмической шкалой, чтобы измерить относи-

---

* Это было неоднократно продемонстрировано на публике и подробно описано в книге Даймонда *Ваше тело не лжет*.

тельную силу энергии различных поступков, мыслей, чувств, ситуаций и родственных связей. Поскольку испытание проводится очень быстро и занимает менее десяти секунд, мы можем обработать огромное количество информации за короткий промежуток времени.

Численный масштаб, который естественным образом возник при работе с испытуемыми, находится для оценки чисто физического существования в пределах от 1 до 600 баллов (вершина обычного сознания) и от 600 до 1000 баллов для оценки высоких состояний сознаний вплоть до просветления. Ответы в виде да-или-нет определяют оценку испытуемого. Например: «Если просто быть в живых соответствует 1 баллу, то тогда сила любви превышает 200 баллов?» (Испытуемый остается сильным, подтверждая положительный ответ.) «Сила любви превышает 300 баллов?» (Испытуемый по-прежнему остается сильным.) «Сила любви превышает 400 баллов?» (Испытуемый остается сильным.) «Сила любви достигает 500 и более баллов?» (Испытуемый остается сильным.) В данном случае любовь получает оценку 500 баллов, и эта цифра имеет полностью воспроизводимый характер независимо от того, сколько испытуемых приняли участие в эксперименте. Проводя испытания индивидуально или в группе с множеством разных экспериментаторов, а также группой экспериментаторов, мы создали устойчивую шкалу, которая прекрасно соотносится с человеческим опытом, историей и общепринятым мнением, а также открытиями в области психологии, социологии, психоанализа, философии и медицины. Она также находится в тесной связи с вечной философией — неизменным философским уровнем сознания*.

Лицо, проводящее испытание, должно соблюдать осторожность, помня о том, что ответы на некоторые вопросы могут

---

* *Вечная философия* — это фрагмент духовной истины всех религий. Она представляет собой процесс расширения сознания по шкале от материи до протоплазмы, животная жизнь, эмоциональное реагирование, способность мыслить, искренне любить и быть счастливым, не-дуальность (мудрость) и первичное чистое знание. Согласно Кену Уилберу, эти этапы имеют универсальный характер; любая теория реальности должна включать эти аксиомы бытия.

смутить и обеспокоить испытуемого. Этой техникой нельзя пользоваться безответственно, необходимо всегда проявлять уважение к готовности испытуемого принять участие в исследовании; данный метод нельзя применять в целях конфронтации. В медицинской практике испытуемым никогда не задают вопросы личного характера за исключением тех случаев, когда это происходит в терапевтических целях. Можно задавать вопросы, исключающие личную вовлеченность испытуемого в рассматриваемую ситуацию, с тем чтобы он выступал только в роли индикатора для проведения измерения.

Полученный в ходе эксперимента ответ не зависит от личной силы испытуемого. Иногда мускулистые спортсмены бывают сильно удивлены тем, что они, как и все остальные, проявляют слабость в ответ на нездоровый стимул. Даже если проводить испытание будет хрупкая женщина весом менее пятидесяти килограмм, а в роли испытуемого окажется профессиональный футболист весом более ста, результаты эксперимента останутся прежними после того, как она надавит двумя пальцами на его могучую руку.

III

РЕЗУЛЬТАТЫ ИССЛЕДОВАНИЯ
И ИХ ИНТЕРПРЕТАЦИЯ

Целью данной работы является создание практической схемы энергетических полей сознания, а также описание пространства и общей географии неизвестной области человеческих исследований. Для того чтобы облегчить понимание этой информации для читателя, численные значения, полученные для различных энергетических полей, были приближены к сравнительным показателям.

Если мы взглянем на Карту Сознания (см. ниже), станет очевидно, что полученные уровни измерения сознания соотносятся с определенными процессами — эмоциями, восприятием или поведением, взглядами на мир и духовными ценностями. Если бы эту таблицу можно было расширить, она могла бы вобрать в себя все виды человеческого поведения. Все результаты исследования были подкреплены необходимыми доказательствами; чем более подробным и обширным было исследование, тем больше было найдено дополнительных доказательств.

КАРТА СОЗНАНИЯ

Восприятие Бога	Восприятие жизни	Уровень	Оценка	Эмоция	Процесс
Я	Она просто существует	Просветление	700–1000	Невозможно выразить словами	Чистое сознание
Все сущее	Совершенная	Гармония ↑	600	Счастье	Вдохновение
Единый	Целостная	Радость ↑	540	Покой	Метаморфоза
Любящий	Доброжелательная	Любовь ↑	500	Уважение	Откровение
Мудрый	Многозначная	Разум ↑	400	Понимание	Обобщение
Милостивый	Гармоничная	Принятие ↑	350	Прощение	Превосходство
Вдохновляющий	Обнадеживающая	Готовность ↑	310	Оптимизм	Намерение
Дающий возможности	Удовлетворительная	Нейтралитет	250	Доверие	Освобождение

Позволяющий	Подходящая	200	Смелость	Утверждение	Полномочия
Безразличный	Требующая	175	Гордыня →	Пренебрежение	Чванство
Мстительный	Враждебная	150	Гнев →	Ненависть	Агрессия
Отрекающийся	Неутешительная	125	Желание →	Стремление	Зависимость
Наказывающий	Пугающая	100	Страх →	Волнение	Убегание
Высокомерный	Трагическая	75	Горе →	Сожаление	Уныние
Осуждающий	Безнадёжная	50	Апатия →	Отчаяние	Отречение
Карающий	Злая	30	Чувство вины →	Обвинение	Разрушение
Презирающий	Жалкая	20	Позор	Унижение	Уничтожение

Критическая точка шкалы сознания находится на уровне около 200 баллов, который связан со Смелостью. Все поступки, мысли, чувства и ассоциации ниже данного уровня делают человека слабее. Поступки, мысли, чувства, организации или исторические деятели выше уровня 200 баллов придают человеку сил. Это точка равновесия между слабыми и сильными аттракторами, между отрицательным и положительным влиянием.

На уровнях ниже 200 баллов основной целью становится выживание, хотя в самом низу шкалы в зоне отчаяния и депрессии у человека отсутствует даже это стремление. Расположенные выше уровни Страха и Гнева отличаются эгоистическими желаниями, возникающими на основе внутреннего импульса к выживанию. На уровне Гордыни желание выжить может вырасти до стремления помочь выжить другим людям. После того как человек пересечет границу между влиянием негативных и позитивных энергий и окажется на уровне Смелости, для него постепенно становится важным благополучие окружающих. На уровне 500 баллов счастье других людей превращается в основную движущую силу. Преодолев уровень 550 баллов, человек начинает интересоваться вопросами своего и чужого духовного развития, а на уровне 600 баллов его главными целями становятся благополучие человечества и поиск путей к просветлению. На уровне от 700 до 1000 баллов человек посвящает свою жизнь спасению всего человечества.

ОБСУЖДЕНИЕ

Размышления об этой Карте Сознания могут привести к значительному увеличению чувства сопереживания по отношению к жизни во всех ее многочисленных проявлениях. Если мы изучим якобы менее «добродетельные» эмоциональные проявления, мы поймем, что все они не являются ни хорошими, ни плохими; их моральная оценка зависит только от той точки зрения, которой мы придерживаемся, вынося свое заключение.

Например, человек, испытывающий Горе, которое имеет очень низкий энергетический уровень 75 баллов, будет чувствовать себя гораздо лучше, если поднимется до уровня Гнева, оценка которого составляет 150 баллов. Гнев сам по себе является разрушительной эмоцией и к тому же низким уровнем сознания, однако, как показывает история нашего общества, Апатия способна лишить свободы как целые народы, так и отдельных людей. Если отчаявшийся человек может захотеть чего-то большего (уровень Желания, 125 баллов), а затем использовать энергию Гнева на уровне 150 баллов, чтобы попасть на уровень Гордыни (175 баллов), то после этого он может попытаться шагнуть на следующий уровень Смелости (200 баллов), улучшая таким образом условия своей жизни и жизни окружающих людей.

С другой стороны, для человека, постоянно пребывающего в состоянии безусловной Любви, любые эмоции ниже достигнутого им уровня будут казаться недопустимыми. По мере того как мы продвигаемся вперед по пути развития нашего сознания, этот процесс становится постоянным и саморегулирующимся, поэтому самосовершенствование превращается в образ жизни. Это явление распространено среди членов групп самопомощи «Двенадцать шагов», которые непрерывно работают над преодолением таких негативных эмоций, как жалость к себе или нетерпимость. Люди, находящиеся на более низких уровнях сознания, могут посчитать эти же самые эмоции вполне приемлемыми и даже выступать в их защиту.

На протяжении всей истории целью великих духовных учений было создание методов, которые позволили бы людям подняться на высшие уровни сознания. Большинство из них предполагало или открыто заявляло о том, что преодоление этих ступеней развития является трудной задачей; успех зависит от умения найти учителя или, по меньшей мере, учение, которое стало бы источником необходимой информации и вдохновения для ищущего. В противном случае человек может отчаяться из-за своей неспособности достичь поставленной цели без посторонней помощи. Мы надеемся, что наша таблица может способствовать осуществлению этого высшего стремления человека.

Эпистемологический эффект от размышления над этой схемой внешне незаметен, однако может иметь далеко идущие последствия; результаты этих открытий имеют практическое значение для спорта, медицины, психиатрии, психологии, личных взаимоотношений и поиска счастья в целом. Анализ Карты Сознания может, например, изменить представления человека о причинности. Поскольку восприятие зависит от уровня сознания, на котором мы находимся, становится очевидно, что то, что мы считаем миром причин, на самом деле представляет собой мир следствий. Взяв на себя ответственность за собственное восприятие действительности, человек может перейти от роли жертвы к пониманию того, что «над ним не властны внешние факторы». Не сами события, а реакция на них, отношение к случившемуся определяет, окажут ли они на жизнь позитивное или негативное влияние, превратившись в источник возможностей или стресса.

Психологический стресс является следствием состояния, когда вы сопротивляетесь или хотите убежать, однако само по себе это состояние не обладает никакой силой. Ничто не обладает такой энергией, чтобы «создавать» стресс. Громкая музыка, повышающая кровяное давление у одного человека, становится источником радости для другого. Развод может нанести травму, если человек не хочет разводиться, или стать путевкой в свободную жизнь, если он стремится закончить прежние отношения.

Карта Сознания также проливает новый свет на исторический прогресс. Самой важной целью данного исследования было определить разницу между насилием и истинной силой. Например, мы можем обратиться к изучению такого исторического периода, как британский колониализм в Индии. Если мы оценим позицию Британской империи тех времен, которая характеризовалась преследованием корыстных интересов и эксплуатацией другого народа, мы обнаружим, что она находится гораздо ниже уровня 200 баллов по шкале сознания. Мотивы Махатмы Ганди (оценка 700 баллов), напротив, оказались вблизи верхних значений обычного человеческого сознания. Ганди победил в своей борьбе, потому что его позиция была подкреплена огромной силой. Британская империя воплощала насилие (оценка 175 баллов), а если оно сталкивается с силой, последняя в итоге побеждает.

Мы видим, что на протяжении долгого времени общество пыталось «вылечить» социальные проблемы посредством актов законодательной власти, борьбы, торговых манипуляций, законов и запретов — любых проявлений насилия — только затем, чтобы убедиться в том, что эти проблемы сохраняются или снова возникают, несмотря на все принимаемые меры. Хотя целые правительства или отдельные люди, придерживающиеся позиции насилия, страдают от близорукости, внимательный наблюдатель в конечном счете поймет, что социальный конфликт не исчезнет до тех пор, пока лежащие в его основе причины не будут обнаружены и «исцелены».

Разница между лечением и целительством заключается в том, что лечение не влияет на контекст, тогда как в случае целительства клиническая реакция сопровождается изменением контекста, поэтому оно полностью устраняет причину патологического состояния вместо того, чтобы бороться с его симптомами. Одно дело — просто выписать медикаменты от гипертонии, если у человека повышено кровяное давление. И совсем другое дело — расширить его жизненный контекст, чтобы он перестал сердиться и подавлять свои эмоции.

Будем надеяться, что сопереживание, которое появляется при анализе этой Карты Сознания, поможет нам сделать маленький шаг на пути к Радости. Ключом к радости является безусловная доброта ко всему живому, включая самого себя, то есть чувство, которое мы обычно называем состраданием [43]. Без сострадания человеческие достижения теряют весь свой смысл. Мы можем обобщить этот опыт для более широкого социального контекста на примере индивидуальной терапии, когда пациент не может получить окончательное исцеление до тех пор, пока он не обратится к силе сострадания по отношению к себе и другим людям. В этом случае исцеленный может сам стать целителем.

IV

УРОВНИ
ЧЕЛОВЕЧЕСКОГО СОЗНАНИЯ

Миллионы измерений, сделанные в течение многолетнего исследования, определили шкалу оценок, точно соответствующих общеизвестным наборам шаблонов поведения и эмоций. Они соотносятся с энергетическими полями определенных аттракторов, почти как электромагнитные поля притягивают железные опилки. Мы разработали нижеследующую классификацию энергетических полей, которая проста для понимания и основана на точных клинических данных.

Очень важно помнить, что эти оценки представляют собой не арифметическую, а *логарифмическую* прогрессию. То есть уровень 300 баллов *не* является удвоением уровня 150 баллов; речь идет о 300 в десятой степени (10^{300}). Таким образом, увеличение показателя хотя бы на несколько баллов говорит о значительном росте силы; по мере движения вверх по шкале сила увеличивается многократно.

Способы выражения различных уровней человеческого сознания имеют основательный характер и далеко идущие последствия; их влияние одновременно огромно и неуловимо. Все уровни ниже 200 баллов оказывают разрушительное действие как на жизнь отдельного человека, так и на жизнь общества в целом; все уровни выше 200 баллов являются выражением созидательной творческой силы. Уровень 200 баллов представляет собой критическую точку, которая разделяет сферы действия насилия и силы.

Говоря о взаимосвязи эмоций и энергетических полей сознания, необходимо помнить, что они редко проявляются в чистом виде. Уровни сознания всегда имеют комбинированный характер; человек может действовать на каком-либо уровне в одной сфере и на совершенно ином уровне в другой сфере своей жизни. Совокупный уровень сознания человека является суммарным выражением влияния всех этих уровней.

ЭНЕРГЕТИЧЕСКИЙ УРОВЕНЬ 20: ПОЗОР

Уровень Позора находится в непосредственной близости к смерти, к которой человек может стремиться, чтобы избавиться от бесчестья путем самоубийства или, в менее выраженном случае, отказа от дальнейших действий для продолжения жизни. В последнем варианте речь может идти о смерти от несчастного случая, которого можно было бы избежать. Все мы знаем о той боли, которую испытываем, «потеряв свое лицо», лишившись доверия, став персоной нон грата. Позор заставляет нас опустить голову и скрываться, испытывая желание стать невидимкой. Изгнание является частым спутником позора, а в первобытных обществах, откуда мы все берем начало, изгнание означало смерть.

Ранний негативный жизненный опыт, например, сексуальное насилие, ведущее к Позору, оказывает свое влияние на личность в течение всей ее жизни, если только эти проблемы не будут успешно решены с помощью соответствующей терапии. Согласно Фрейду, позор приводит к возникновению невроза. Он вредит эмоциональному и психологическому здоровью и вследствие низкой самооценки подвергает человека высокому риску физического заболевания. Испытавший позор человек становится застенчивым, одиноким и замкнутым.

Позор является признаком жестокого обращения, и его жертвы часто сами становятся жестокими людьми. Пережившие позор дети жестоко ведут себя по отношению к животным и друг к другу. Поведение людей, чье сознание находится на уровне 20 баллов, опасно. Они склонны к галлюцинациям, в которых переживают разоблачение, а также паранойе; некоторые становятся психопатами или совершают изощренные преступления.

Некоторые люди, испытавшие позор, пытаются компенсировать его с помощью перфекционизма и суровости, превращаясь в объект манипулирования и проявляя нетерпимость и фанатизм. Печально известными примерами таких людей могут быть высоконравственные экстремисты, создающие комитеты бдительности, проецируя тем самым собственный подсознательный стыд на окружающих, что позволяет им впоследствии оправдывать свою критику в их адрес. Серийные убийцы также часто действуют, исходя из сексуального морализма, объясняя свои поступки желанием наказать «плохих» женщин.

Снижая уровень сознания человека в целом, позор делает его уязвимым к другим негативным эмоциям и поэтому часто становится источником ложной гордыни, гнева и чувства вины.

ЭНЕРГЕТИЧЕСКИЙ УРОВЕНЬ 30: ЧУВСТВО ВИНЫ

Чувство вины, которое часто используется нашим обществом в целях манипулирования и наказания, имеет целый ряд проявлений, например угрызения совести, самообвинение, мазохизм и полный набор симптомов жертвы. Неосознанное чувство вины становится причиной психосоматических заболеваний, склонности к несчастным случаям и суицидальному поведению. Многие люди борются со своим чувством вины в течение всей жизни, в то время как другие безуспешно пытаются скрыться от него, забывая о морали и совершенно отрицая целесообразность этого чувства.

Преобладание чувства вины приводит к тому, что человек становится озабоченным своей «греховностью», неумолимым, суровым и лишенным каких-либо эмоций, что часто используется религиозными демагогами в целях насилия и контроля. Торговцы «грехом-и-прощением», мучимые мыслями о наказании, вероятно, таким образом либо пытаются выразить собственное чувство вины, либо проецируют его на других людей.

Субкультуры, склонные к самобичеванию, часто проявляют другие врожденные формы жестокости, например публичное ритуальное убийство животных. Чувство вины вызывает ярость, которая нередко находит свое выражение через убийство. Смертная казнь является примером того, как убийство доставляет удовольствие страдающей комплексом вины толпе. Так, современное американское общество, не умеющее прощать, осуждает своих жертв в печати и применяет по отношению к ним наказания, которые никогда не обладали сдерживающим или нейтрализующим влиянием.

ЭНЕРГЕТИЧЕСКИЙ УРОВЕНЬ 50: АПАТИЯ

Этот уровень соотносится с бедностью, отчаянием и безысходностью. Окружающий мир и будущее выглядят безрадостными; жизнь приобретает пафосный оттенок. Это состояние безысходности; его жертвы пребывают в бедственном положении во всех сферах своей жизни, им не хватает не только материальных средств, но и энергии, чтобы воспользоваться тем, что у них есть. Если они не получают внешней поддержки в лице заботливых друзей и близких, они могут погибнуть в результате пассивного самоубийства. Утратив желание жить, они безучастно смотрят на мир немигающим взглядом, не реагируя ни на какие раздражители, до тех пор, пока их взгляд не становится бессмысленным и у них не остается силы даже на то, чтоб проглотить приготовленную для них еду.

Это уровень, на котором находятся бездомные и изгои общества. Это также становится судьбой многих престарелых людей и тех, кто оказывается в изоляции из-за хронической или прогрессирующей болезни. Безразличные люди становятся зависимыми; те, кто находится в состоянии апатии, приобретают «неуклюжесть» и медлительность и становятся в тягость окружающим.

Очень часто общество не испытывает желания помогать культурам или людям, находящимся на этом уровне, поскольку они воспринимаются только как черная дыра, куда уходит большое количество денег и средств. Это уровень улиц Калькутты, где осмеливаются появляться только такие праведники, как мать Тереза и ее последователи. Это уровень отказа от надежды, и очень немногие имеют мужество взглянуть правде в глаза в подобных условиях.

ЭНЕРГЕТИЧЕСКИЙ УРОВЕНЬ 75: ГОРЕ

Этот уровень сопряжен с печалью, потерями и унынием. Большинству из нас случалось испытывать подобные чувства в течение непродолжительных периодов времени, однако те, кто остаются на этом уровне, выбирают жизнь, наполненную постоянными сожалениями и депрессией. Это уровень скорби, тяжелой утраты и сожалений о прошлом. Это также уровень, на котором находятся вечные неудачники и те закоренелые игроки, которые воспринимают проигрыш как часть своего образа жизни, что часто приводит к потере работы, друзей, семьи и новых возможностей, а также денег и здоровья.

Болезненные потери в детстве и юности делают человека ранимым и заставляют его пассивно принимать горе, как будто печаль становится платой за жизнь. В состоянии горя человек повсюду видит уныние: печаль маленьких детей, печальные события в мире и в жизни в целом. Этот уровень влияет на восприятие человеком всего бытия. Одним из признаков синдрома потери является убежденность в невозможности заменить то, что было утеряно, или то, что оно символизировало. Мы сталкиваемся с обобщением в отношении отдельных ситуаций или событий, так что потеря любимого человека приравнивается к утрате любви в целом. На этом уровне такие эмоциональные утраты могут привести к серьезной депрессии или смерти.

Хотя уровень Горя является кладбищем жизни, оно обладает большей энергией, чем Апатия. Поэтому когда перенесший травму апатичный пациент начинает плакать или кричать, мы понимаем, что ему становится лучше. Как только появляются слезы, он снова начинает принимать пищу.

ЭНЕРГЕТИЧЕСКИЙ УРОВЕНЬ 100: СТРАХ

На уровне 100 баллов количество доступной жизненной энергии заметно увеличивается; страх перед опасностью полезен для здоровья. Страх во многом управляет миром, побуждая людей к постоянной деятельности. Страх перед врагами, страх перед старостью или смертью, страх получить отказ и множество других социальных страхов являются основными движущими мотивами в жизни большинства людей.

С точки зрения данного уровня мир выглядит опасным, полным ловушек и угроз. Страх является любимым официальным инструментом контроля, которым пользуются организации с жестокой, тоталитарной системой управления, а чувство опасности представляет собой обычную уловку крупных манипуляторов в сфере бизнеса. Средства массовой информации и рекламные агентства используют страх, чтобы увеличить свою долю на рынке.

Страхи способны увеличиваться бесконечно, как и человеческое воображение; как только человек концентрируется на страхе, длинная череда ужасных происшествий в мире начинает подпитывать этот страх. Страх становится навязчивой идеей и может принимать любую форму: страх потери отношений ведет к ревности и постоянно высокому уровню стресса. Устрашающие мысли могут вылиться в паранойю или стать причиной появления невротических защитных реакций, а также принять характер доминирующих в обществе настроений, поскольку страх способен передаваться от одного человека к другому, уподобляясь заразному заболеванию.

Страх ограничивает развитие личности и приводит к появлению комплексов. Поскольку попытка преодолеть Страх требует наличия большого количества энергии, эти люди не способны подняться на следующий уровень без посторонней помощи. Поэтому трусы ищут сильных лидеров, которые, как им кажется, смогли преодолеть свои страхи, чтобы те помогли им избавиться от этой рабской зависимости.

ЭНЕРГЕТИЧЕСКИЙ УРОВЕНЬ 125:
ЖЕЛАНИЕ

На этом уровне мы находим еще большее количество энергии; желание руководит нашими поступками в любой сфере человеческой деятельности, включая экономику. Рекламодатели играют на желаниях для того, чтобы запрограммировать нас на удовлетворение инстинктивных потребностей. Желание заставляет прилагать неимоверные усилия, чтобы достичь поставленных целей или получить награду. Желание денег, престижа или власти управляет жизнью многих из тех, кто сумел преодолеть господство Страха.

Желание также является уровнем, на котором мы сталкиваемся с зависимостями, когда желание превращается в страсть, которая становится важнее даже самой жизни. Жертва желания может даже не знать о происхождении руководящих ею мотивов. Некоторые люди испытывают непреодолимое желание быть объектом всеобщего внимания и постоянно досаждать окружающим своими непрекращающимися требованиями. Желание получить признание лиц противоположного пола положило начало целой индустрии, включая косметическую промышленность и мир моды.

Желание связано с накоплением и жадностью. Но оно ненасытно, поскольку представляет собой постоянно активное энергетическое поле. Поэтому удовлетворение одного желания сразу же влечет за собой появление другого, пока еще не исполнившегося желания. Мультимиллионеры страдают от навязчивой мысли заработать еще больше денег.

Очевидно, что желание находится на более высоком уровне, чем апатия или горе. Для того чтобы что-то «получить», вы должны сначала обладать достаточной энергией, чтобы этого «захотеть». Телевидение оказывает сильное влияние на людей, находящихся во власти своих желаний, насаждая и усиливая их потребности до такой степени, что они выходят из состояния Апатии и начинают стремиться к лучшей жизни. Желание может стать нашим отправным пунктом на пути к успеху. Поэтому Желание может послужить трамплином для достижения более высоких уровней сознания.

ЭНЕРГЕТИЧЕСКИЙ УРОВЕНЬ 150: ГНЕВ

Хотя гнев может стать причиной убийства или войны, в том, что касается его энергетического уровня, он находится намного дальше от смерти, чем те состояния, о которых было сказано выше. Гнев может стать источником как созидательных, так и разрушительных действий. По мере того как люди отказываются от Апатии и Горя и приобретают возможность преодолеть свой Страх, они начинают испытывать желания;

Желание ведет к фрустрации, которая, в свою очередь, приводит к Гневу. Поэтому он способен стать средством, с помощью которого находящийся под его влиянием человек в итоге может обрести свободу. Гнев в отношении социальной несправедливости, мучения и преследования людей, а также социального неравенства послужил причиной создания огромных движений, способствовавших осуществлению важных перемен в структуре общества.

Однако гораздо чаще гнев выражается в виде обиды и жажды мести и поэтому имеет изменчивый и опасный характер. Гнев как образ жизни свойствен раздражительным, вспыльчивым людям, которые обладают повышенной чувствительностью к проявлению неуважения и становятся «коллекционерами несправедливостей», склонными к ворчливости, драчливости или судебным разбирательствам.

Поскольку причиной гнева является нереализованное желание, он основан на энергетическом поле предыдущего уровня. Фрустрация наступает в результате преувеличения значимости того или иного желания. Вспыльчивый человек способен, подобно обиженному ребенку, моментально рассердиться. Гнев часто приводит к ненависти, которая оказывает разрушительное влияние на все сферы человеческой жизни.

ЭНЕРГЕТИЧЕСКИЙ УРОВЕНЬ 175: ГОРДЫНЯ

Гордыня, которая оценивается в 175 баллов, обладает достаточной энергией, чтобы, скажем, управлять Корпусом морской пехоты США. Это уровень, к которому стремится сегодня большая часть человечества. Люди чувствуют себя уверенно, достигнув этого уровня, в отличие от уровней с более низким энергетическим полем. Рост самооценки излечивает всю боль, которую человеку довелось испытать, находясь на более низких уровнях сознания. Гордыня кажется спасением и знает об этом; она кичится своими способностями на параде жизни.

Гордыня находится достаточно далеко от Позора, Чувства вины или Страха, поэтому, например, между преисполненной отчаянием жизнью в гетто и службой в Корпусе морской пехоты лежит огромная дистанция. Сама по себе Гордыня обладает хорошей репутацией и чувствует себя уверенно в социуме; однако, как мы видим из схемы уровней сознания, она имеет достаточно негативное влияние, чтобы оставаться ниже критической точки 200 баллов. Вот почему Гордыня ощущает себя хорошо *только* в сравнении с менее высокими уровнями.

Проблема, которая нам всем хорошо известна, заключается в том, что «Гордыня всегда предшествует падению». Гордыня занимает оборонительную позицию, все равно оставаясь уязвимой, потому что она зависит от внешних условий, без поддержки которых она может неожиданно упасть на более низкий уровень. Раздутое эго уязвимо перед нападением. Гордыня всегда остается слабой, поскольку она может быть свергнута со своего пьедестала и обернуться Позором. Эта угроза раздувает страх утраты предмета гордости человека.

Гордыня сеет разногласия и приводит к фракционности; это может иметь очень серьезные последствия. Люди часто погибают из-за своей гордыни — солдаты по-прежнему регулярно уничтожают друг друга из-за влияния одного из аспектов гордыни, который называется национализмом. Религиозные войны, политический террор и фанатизм, история ужасных событий на Ближнем Востоке и в Центральной Европе являются страшной ценой гордыни, которую вынуждено оплачивать все человечество.

Обратной стороной гордыни являются тщеславие и отрицание. Эти качества не позволяют человеку развиваться; в присутствии Гордыни невозможно исцелиться от какой-либо зависимости, потому что человек отрицает свои эмоциональные проблемы или недостатки характера. Главная причина отрицания заключается в гордыне. Поэтому Гордыня остается весьма серьезным препятствием на пути обретения истинной силы, что лишает ее реальной ценности и авторитета.

ЭНЕРГЕТИЧЕСКИЙ УРОВЕНЬ 200: СМЕЛОСТЬ

На уровне 200 баллов впервые появляется сила. Когда мы исследуем объекты, находящиеся на энергетических уровнях ниже 200 баллов, мы обнаруживаем и с легкостью можем это подтвердить, что все они отличаются слабостью. С другой стороны, каждый человек становится сильнее в ответ на действие поддерживающих жизнь полей выше уровня 200 баллов. Это грань, которая разделяет положительные и отрицательные жизненные факторы. На уровне Смелости человек обретает истинную силу; поэтому это также уровень доверия и полномочий. Это область исследований, достижений, стойкости и решительности. На более низких уровнях мир кажется лишенным надежды, грустным, пугающим или полным препятствий; но на уровне Смелости жизнь превращается в захватывающее, многообещающее и интересное приключение.

Смелость предполагает готовность пробовать новое и бороться с превратностями судьбы. На этом энергетическом уровне человек способен разглядеть и с успехом воспользоваться возможностями, которые предоставляет ему жизнь. Например, на уровне 200 баллов появляется энергия, которая позволяет приобретать новые профессиональные навыки. Для человека становятся достижимы личностное развитие и получение образования. Он способен противостоять страхам или недостаткам характера и развиваться вопреки всем препятствиям, а тревоги не мешают ему по-прежнему стремиться к своим целям, как это происходит на более низких уровнях развития. Преграды, которые наносят поражение людям, чье сознание остается ниже уровня 200 баллов, превращаются в дополнительные стимулы для тех, кто достиг первого уровня истинной силы.

Люди на этом уровне возвращают миру столько же энергии, сколько забирают; на более низких уровнях целые народы или их отдельные представители выкачивают энергию из общества, не давая ничего взамен. Достигнув успеха, люди начинают больше ценить и уважать себя, поэтому их сила постоянно увеличивается. На этом уровне жизнь становится по-настоящему продуктивной.

Коллективный уровень сознания человечества в течение многих веков оставался на уровне 190 баллов и, что странно, вырос до своей текущей отметки в 204 балла только в течение последнего десятилетия.

ЭНЕРГЕТИЧЕСКИЙ УРОВЕНЬ 250: НЕЙТРАЛИТЕТ

Энергия становится еще более положительной, когда мы поднимаемся на следующий уровень под названием Нейтралитет, потому что он характеризуется освобождением от позициональности, свойственной более низким уровням. Ниже 250 баллов сознание склонно видеть дихотомии и занимать жесткие позиции, что противоречит сложному и многофакторному устройству мира, который не состоит исключительно из белого и черного цветов.

Следование подобным взглядам создает поляризацию, а поляризация, в свою очередь, приводит к противостоянию и разделению. Как и в боевых искусствах, жесткая позиция превращается в уязвимое место; то, что не гнется, должно быть сломано. Отказ от создания преград и сопротивления, уменьшающих энергию человека, позволяет Нейтралитету быть более гибким и избегать осуждения, давая реалистичную оценку возникшим проблемам. Придерживаться нейтралитета означает быть относительно непривязанным к результатам; отказ от своего желания больше не отождествляется с поражением, страхом или фрустрацией.

На уровне Нейтралитета человек способен сказать: «Что ж, если я не получу эту работу, я получу другую». Это начало пути к внутреннему доверию; чувствуя свою силу, человек уже не так легко поддается страхам. Им не руководит стремление что-либо доказать. Ощущение того, что жизнь с ее взлетами и падениями в своей основе прекрасна, если научиться приспосабливаться к любым обстоятельствам, свойственно человеку, находящемуся на уровне 250 баллов.

Люди на уровне Нейтралитета ощущают себя благополучными; отличительной чертой этого уровня является уверенность в способности жить в нашем мире. Это уровень безопасности. С людьми на уровне Нейтралитета легко поладить, они становятся надежными друзьями и коллегами, потому что не стремятся к конфликту, соперничеству или обвинениям. Рядом с ними уютно, в основном они всегда пребывают в спокойном состоянии духа. Они не склонны осуждать окружающих и не испытывают ни малейшей потребности контролировать поступки других людей. Соответственно, поскольку эти люди ценят свободу, их также довольно трудно контролировать.

ЭНЕРГЕТИЧЕСКИЙ УРОВЕНЬ 310: ГОТОВНОСТЬ

Этот весьма высокий уровень энергии может рассматриваться как врата к более высоким уровням. Если, например, на уровне Нейтралитета человек выполняет свою работу удовлетворительно, на уровне Готовности он справляется с ней хорошо, и его ждет успех во всех его начинаниях. Здесь мы наблюдаем быстрый рост; эти люди избраны для побед и достижений. Готовность подразумевает, что человек смог преодолеть внутреннее сопротивление жизни и готов стать ее активным участником. Люди с уровнем ниже 200 баллов склонны к замкнутому образу жизни, однако на уровне 310 баллов происходит серьезное раскрытие. На этом уровне люди становятся искренними и дружелюбными, поэтому социальный и материальный успех приходит к ним почти автоматически.

Люди на уровне Готовности никогда не страдают от безработицы; они берутся за любую работу, если это необходимо, придумывают для себя занятие или начинают самостоятельную предпринимательскую деятельность. Они не чувствуют себя униженными, работая в сфере услуг, и трудятся на благо общества. Они также стремятся разрешить свои внутренние противоречия и не имеют каких-либо существенных препятствий для дальнейшего обучения.

На этом уровне человек обладает высокой самооценкой, которая находит свое подкрепление благодаря признанию и благодарности со стороны общества. Готовность способна испытывать сочувствие и отзывчива к нуждам других людей. Эти люди становятся строителями общества и меценатами. Благодаря своей способности восстанавливаться после неприятных событий и учиться на собственном опыте они обретают возможность самостоятельно корректировать свои поступки. Избавившись от гордыни, они готовы взглянуть в лицо своим недостаткам и усвоить преподанные им уроки. На уровне Готовности люди становятся прекрасными учениками. Они легко обучаемы и представляют собой огромный источник силы для общества.

ЭНЕРГЕТИЧЕСКИЙ УРОВЕНЬ 350: ПРИНЯТИЕ

На этом уровне сознания самое значительное изменение происходит, когда человек понимает, что он сам является источником и творцом собственной жизни. Принятие этой ответственности представляет собой отличительную черту на данном уровне развития, который характеризуется способностью жить в гармонии с жизненной силой.

Все люди, находящиеся на уровнях ниже 200 баллов, беспомощны и считают себя жертвами, отданными на милость судьбы. Это происходит из-за убеждения, что источником счастья или причиной проблем является какой-то «внешний» фактор. На уровне Принятия мы видим огромный скачок в развитии человека, возвращающий ему обратно его внутреннюю силу, благодаря пониманию того, что источник счастья находится внутри нас. На этом более высоком уровне сознания ничто, находящееся «вовне», не способно сделать нас счастливыми, а любовь оказывается чувством, зарождающимся внутри нас, а не присутствующим в нашей жизни благодаря действиям других людей.

Принятие не следует путать с пассивностью, которая является симптомом апатии. Эта форма принятия позволяет принимать жизнь такой, какая она есть, не пытаясь заставить ее соответствовать нашим собственным ожиданиям. Через принятие мы обретаем спокойствие, а восприятие становится глубже, поскольку мы отказываемся от отрицания. Теперь человек способен видеть вещи без искажений или ошибочных толкований; жизненный контекст расширяется настолько, что он может «увидеть картину в целом». Принятие по своей природе тесно связано с гармонией, соразмерностью и правильностью.

Человек на уровне Принятия не стремится определить, что правильно, а что нет; вместо этого он пытается найти выход из сложных ситуаций и возможные пути решения проблем. Его не смущает и не пугает трудная работа. Долгосрочные цели превалируют над краткосрочными; его самодисциплина и мастерство поражают окружающих.

На уровне Принятия нас не могут разделить конфликт или противостояние; мы понимаем, что другие люди имеют такие же права, уважаем равенство. В то время как более низкие уровни характеризуются суровой непреклонностью, на данном уровне возникает социальный плюрализм как способ решения проблем. Поэтому здесь отсутствуют дискриминация или нетерпимость. Человек понимает, что равенство не препятствует разнообразию; Принятие скорее присоединяет, чем отвергает.

ЭНЕРГЕТИЧЕСКИЙ УРОВЕНЬ 400: РАЗУМ

Интеллект и здравый рассудок выходят на передний план после того, как человеку удается справиться с чрезмерной эмоциональностью, свойственной предыдущим уровням. Разум способен справляться с большими, сложными объемами информации и принимать правильные и быстрые решения; разбираться в запутанных взаимоотношениях, оттенках и незначительных различиях; кроме того, искусное управление символами как абстрактными понятиями приобретает здесь всю большую важность. Это уровень науки, медицины и постоянно растущей способности концептуализации и осмысления происходящего. Знание и образование превращаются в бесценный капитал. Понимание и информация становятся основными инструментами для достижения поставленных целей на данном уровне 400 баллов. Это уровень нобелевских лауреатов, великих государственных деятелей и верховных судей. Эйнштейн, Фрейд и многие другие важные исторические фигуры и мыслители принадлежат данному уровню.

Среди недостатков этого уровня можно назвать неумение ясно понимать разницу между символами и тем, что они означают, а также путаницу между реальным и воображаемым мирами, которая ограничивает понимание причинности. На этом уровне легко не увидеть леса за деревьями и, оказавшись в мире чистых концепций и теорий, упустить самое главное. Склонность к размышлениям может обернуться пустым теоретизированием. Разум ограничен тем, что он не способен проникнуть в суть вещей или отыскать ключевую идею в сложном вопросе.

Сам по себе разум не может указать путь к истине. Он генерирует огромный объем информации и может обрабатывать документальные данные, однако не способен разрешить противоречия в полученных сведениях или выводах.

Все философские аргументы звучат очень убедительно. Хотя разум полезен в мире техники, где господствуют логические методологии, как ни парадоксально, Разум является самым серьезным препятствием на пути к достижению более высоких уровней сознания. Выход за пределы этого уровня встречается в нашем обществе достаточно редко.

ЭНЕРГЕТИЧЕСКИЙ УРОВЕНЬ 500: ЛЮБОВЬ

Любовь, как ее изображают средства массовой информации, вовсе не та любовь, которая встречается на этом уровне. То, что мир чаще всего принимает за любовь, на самом деле является сильной эмоциональной привязанностью в сочетании с физической привлекательностью, жаждой обладания и контроля, зависимостью, чувственностью и новизной ощущений. Такая любовь обычно мимолетна и изменчива, она то увеличивается, то затухает в зависимости от обстоятельств. Если эта любовь не находит отклика, она часто проявляется в виде невыраженного гнева и замаскированной зависимости. Такая любовь может превратиться в ненависть, но речь скорее о том, что в действительности это не любовь, а вызывающая привычку чувствительность. Ненависть возникает из Гордыни, а не из Любви; в таких взаимоотношениях, скорее всего, никогда не было Любви.

Уровень 500 баллов характеризуется появлением безусловной, неизменной и постоянной любви. Она не меняется, потому что ее источник внутри любящего человека не зависит от внешних факторов. Любовь — это состояние бытия. Это способ общения с миром, который заключается в прощении, заботе и поддержке. Любовь не рациональна и не зависит от деятельности разума; любовь исходит из сердца. Она обладает способностью воодушевлять других людей и добиваться великих целей благодаря чистоте своих помыслов.

На этом уровне сознания основное развитие направлено в сторону способности видеть суть вещей; центр внимания сосредоточен в самой сердцевине интересующего человека вопроса. Поскольку влияние разума игнорируется, человек обретает способность моментально видеть всю проблему в целом, включая ее контекст, особенно в отношении времени и процесса ее развития. Разум видит частные детали, а любовь способна разглядеть все в целом. Эта способность, которая часто приписывается интуиции, представляет собой умение мгновенно понимать суть происходящего, не прибегая к логическому анализу символов. Это, на первый взгляд, абстрактное явление в действительности носит вполне конкретный характер; оно сопровождается небольшим выбросом эндорфинов в головной мозг.

Любовь не занимает конкретную позицию, поэтому она универсальна и возвышается над разделением, присущим позициональности. В этом случае становится возможным «быть вместе», поскольку все препятствия исчезают. Поэтому любовь охватывает весь мир и постепенно расширяет свое присутствие. Любовь сосредоточивается на красоте жизни во всех ее выражениях и усиливает любые положительные влияния. Она устраняет негативную энергию не путем насилия, а с помощью изменения контекста ее проявления.

Это уровень настоящего счастья, однако, хотя мир находится в постоянном поиске любви и все существующие религии оцениваются в 500 баллов и выше, интересно отметить, что только 0,4 процента населения мира достигает этого уровня развития сознания.

ЭНЕРГЕТИЧЕСКИЙ УРОВЕНЬ 540: РАДОСТЬ

По мере того как любовь становится все более безусловной, она начинает восприниматься как внутренняя радость.

Это не та неожиданная радость, которую мы испытываем, когда события складываются так, как нам того хочется; это радость, которая постоянно сопровождает нас, что бы мы ни делали. Радость появляется из каждого момента нашего существования вне зависимости от внешних факторов. 540 баллов — это также уровень целителей и групп самопомощи, чья работа основана на духовных принципах.

Начиная с уровня 540 баллов и выше, мы попадаем в мир святых, духовных целителей и преуспевающих духовных учеников. Отличительными чертами этого энергетического поля являются способность к безграничному терпению и неизменный положительный настрой вопреки затянувшемуся периоду неудач. Еще одним признаком этого уровня также является сострадание. Люди, достигшие этого уровня, оказывают сильное влияние на окружающих. Они способны в течение долгого времени пристально смотреть в глаза, погружая других людей в состояние любви и покоя.

На уровне 540 баллов и выше человек видит мир в сиянии ослепительной красоты и способен почувствовать его совершенство. Все происходит без малейших усилий, согласованно и является выражением любви и Божественного начала. Каждый человек становится частью Божественной воли. Человек ощущает присутствие таинственной Силы, чье могущество способствует возникновению различных феноменов за пределами традиционного восприятия мира, которые обыватели называют чудесами. Эти явления представляют собой силу энергетического поля, а не отдельного человека.

Чувство ответственности за других людей на этом уровне качественно отличается от аналогичного чувства на более низких уровнях. У человека возникает желание использовать состояния своего сознания на благо всего мира, а не отдельных людей. Это умение любить многих людей одновременно появляется вместе с осознанием того, что чем больше мы любим, тем сильнее становится наша способность любить.

Околосмертные переживания, которые обычно сильно изменяют людей, часто позволяют испытать на себе влияние энергетического поля на уровне между 540 и 600 баллами.

ЭНЕРГЕТИЧЕСКИЙ УРОВЕНЬ 600:
ГАРМОНИЯ

Это энергетическое поле соотносится с опытом, который определяется такими понятиями, как выход за пределы ограничений, самореализация и осознание Бога. Это состояние встречается крайне редко, у одного человека из десяти миллионов. Когда человек достигает этого уровня, исчезает разница между субъектом и объектом, а также специфическая фокусная точка восприятия. Неудивительно, что человек на этом уровне удаляется от мира, поскольку достигнутое состояние счастья не позволяет ему заниматься обычными видами деятельности. Некоторые становятся духовными учителями; другие анонимно трудятся на благо всего человечества. Также встречаются те, кто достигает гениальности в определенной области и вносит неоценимый вклад в развитие общества. Эти люди праведны и могут быть официально признаны святыми, хотя на этом уровне человек обычно выходит за рамки формальной религии, заменив ее чистой духовностью, которая является основой любой религии.

Восприятие на уровне 600 баллов и выше порой напоминает замедленное воспроизведение событий во времени и пространстве, хотя ничто не постоянно; все живет и излучает свет. Хотя это тот же самый мир, который видят другие люди, он становится бесконечным потоком, бурлящим в совершенном танце жизни, где смысл происходящего и его источник не могут быть постигнуты. Это ощущение благоговения возникает без участия разума, разум наполняется бесконечной тишиной и перестает осмыслять происходящее. Поэтому свидетельствование и предмет свидетельства становятся тождественны друг другу; наблюдатель растворяется в общей панораме и сам становится объектом наблюдения. Все в мире взаимосвязано благодаря присутствию незримой Силы, чье безграничное могущество зиждется на доброте, но вместе с тем непоколебимо.

Великие произведения искусства, музыки и архитектуры, чья оценка составляет от 600 до 700 баллов, могут временно переносить нас на более высокие уровни сознания и общепризнаны непреходящими источниками вдохновения.

ЭНЕРГЕТИЧЕСКИЙ УРОВЕНЬ 700–1000: ПРОСВЕТЛЕНИЕ

Это уровень величайших людей в истории человечества, предложивших духовные модели, которым общество следует на протяжении многих веков. Все они отождествляются с Божественным началом. Это уровень могущественного вдохновения; эти существа создали аттракторы с энергетическими полями, которые оказывают влияние на все человечество. На этом уровне уже отсутствует понятие о жизни отдельного человека, обособленного от других людей; вместо этого возникает ощущение причастности собственного «Я» к высшему Сознанию и Божественному источнику. Непроявленное становится частью «Я», выходящей за пределы разума. Преодоление эго служит примером для окружающих, чтобы показать им, как они могут достигнуть этой цели. Это вершина эволюции сознания в рамках человеческого воплощения.

Великие учения воодушевляют толпу и увеличивают уровень сознания всего человечества. Такое видение мира называется обретением благодати и в качестве дара своему обладателю приносит чувство бесконечного покоя, которое называют неописуемым, невыразимым в словах [44]. На этом уровне самореализации ощущение своей жизни выходит за рамки времени и индивидуальности. Человек больше не отождествляет себя со своим физическим телом и собственным «Я», и поэтому он избавляется от любых волнений и переживаний. Тело воспринимается только как инструмент сознания, который действует через вмешательство разума, его основная ценность состоит в процессе передачи и приема информации.

Индивидуальность вновь соединяется со своим изначальным «Я». Это уровень не-дуальности, или совершенной Цельности. Сознание нигде не локализовано, оно равномерно присутствует повсюду*.

Великие произведения искусства изображают людей, достигших уровня Просветления, в образе учителя, держащего свою руку определенным способом, который называется *мудра* и означает благословение. Это процесс передачи данного энергетического поля в сознание всего человечества. Этот уровень Божественной благодати достигает оценки 1000 баллов, самый высокий уровень, достигнутый человеком за время его существования, — уровень знания, уровень Величайших Воплощений, к которым применимо обращение «Господин»: Господин Кришна, Господин Будда и Господин Иисус Христос.

---

* Из личного опыта автора книги.

Правильные техники измерения

Задайте вопрос *«По шкале от 1 до 600, где 600 баллов означают просветление, этот предмет... оценивается в...»*. Шкала имеет относительный характер, и величины были выбраны произвольно. Если вы не будете использовать в качестве исходной системы отсчета особую шкалу, полученные вами величины будут случайными. Любой человек может создать свою собственную шкалу.

Если не уточнить масштаб используемой шкалы, читатели могут получить огромные величины, превышающие 1000 баллов, которые будут неправильно истолкованы. По шкале, приведенной в этой книге, ни один человек за всю историю нашего существования не получал более 1000 баллов, при этом в последнем случае речь шла о величайших Воплощениях в истории человечества.